Heibonsha Library

崇高と美の起源

A Philosophical Enquiry into the Origin of
Our Ideas of the Sublime and Beautiful

平凡社ライブラリー

Edmund Burke: *A Philosophical Enquiry into the Origin of Our Ideas of the Sublime and Beautiful*

1759

printed in Japan

Heibonsha Library

崇高と美の起源

A Philosophical Enquiry into the Origin of
Our Ideas of the Sublime and Beautiful

エドマンド・バーク著
大河内昌訳

平凡社

本著作は二〇一二年三月に研究社から刊行された「英国十八世紀文学叢書」第四巻『オトラント城／崇高と美の起源』のうち「崇高と美の起源」を再刊したものです。

目次

第三部

第四部

趣味に関する序論

皮相な見方をすれば、われわれ人間は推論の仕方においてお互いに大いに違っているし、それに劣らず何を快いと感じるかにおいても違っている。だが、そうした違いにもかかわらず――その違いは真実というよりは見かけでしかないと私は思うのだが――すべての人間に共通な規準が、理性と趣味（taste）の両面において、存在しているように思われる。というのも、すべての人類に共通な感情と判断の原理が存在しなければ、日常生活における人間相互の交流を維持するのに十分なだけ、理性もしくは情念を制御することはできないからである。物事の真偽に関しては、ある種の決まりごとがあるということは、じっさいに一般に認められているようである。真偽に関する論争においては、人々がお互いに許容し、かつ共通な人間性に基づいて確立していると思われる、試金石や規準にたえず訴えかけているのを目にする。しかし、趣味に関する普遍的で定まった原理については、それと同様な明白な意見の一致は存在しない。あまりにも移ろいやすいがゆえにどのような定義の鎖にも縛られない、この繊細でとらえがたい能力が、試金石によって適正に試されたり、規準によって規制されたりすることはありえないのだと、一般に考えられてさえいる。推論の能力を行使することはつねに求められ、またそれは絶えざる論争で鍛えられているので、正しい理性に関するある種の原則は、もっとも無知な人間においてさえ、暗黙のうちに定まっているように思われる。学識ある者たちがこの粗削りな学問を改善し、それらの原則を体系化した。もし、趣味の領域が十分に開拓されていないとしたなら、それはその主題が不毛であるからではなく、働き手の数が少なく怠惰だからである。というのも、真実を言うなら、推論の能力を解明するようにわれわれを駆り立てるのと同様な興味深い動機が、趣味の場合は存在しないからである。結局、趣味に関する事柄で人々の意見が異なったとしても、その違いが理性に関する事柄と同じくらい重大な結果を伴うことはないのである。さもなければ、趣味の論理（こういう言い方が許されるなら）が理性に関する事柄と同じくらいよく理解される可能性があるし、そうした事柄が、たんなる理性の領域により直接的に関わる事柄と同じくらいの確実性をもって、論じられるようになるかもしれない。そして、現在われわれが取り組んでいるような、こうした研究の入口において、この点をできるだけあきらかにすることは、じっさいにはとても必要なのである。というのも、もし趣味に確定した規準がなく、もし想像力が何らかの不変で確かな法則の支配を受けないのであるならば、われわれの労力はほとんど無駄に費やされることになるだろうからである。なぜなら、気まぐれのために法則を定め、移り気と空想のために立法者を定めるということは、ばからしいとまではいかなくとも、無益な企てに違いないからである。

他のすべての比喩的な用語と同様に、趣味という用語はとても正確というわけにはいかない。これによってわれわれが理解しているものは、ほとんどの人々の精神の中にある単純で限定された観念ではけっしてないし、それゆえにそれは不確かさと混乱に陥りやすいのである。こうした混乱に対する治療薬として名高い「定義」というものを、私はあまり高く評価しない。なぜなら、われわれが定義するとき、われわれは自分たちの概念で自然を囲い込む危険があるように思われるからである。その概念というのは、われわれが行き当たりばったりに選んだり、信用だけを頼りに受け入れたり、目の前の対象に対する限定的で部分的な考察から生み出されたりしたものであって、それは、自然本来の結びつけ方にしたがって自然が包括するすべてのものを受け入れられるように、われわれの観念を拡張することではない。われわれは、出発点においてしたがった厳密な法則によって、探求に限界を設けられてしまう結果になるのである。

だれもが通れる広い周回路をまわりつづける……
臆病さ、もしくは作品の法則のために、そこから一歩も踏み出せないのだ。

〔ホラティウス『詩論』一三二、一三五行〕

定義がとても正確であっても、定義された事柄の性質をわれわれにほとんど伝えてくれないこともあるだろう。だが、その利点が何であれ、定義とは探求に先立つものではなく、それにつづくものであり、探求の結果として考えられるべきものである。探求と教育の方法がときに異なること、しかも疑いなくもっともな理由で異なることがあるのは、私も認める。しかし、私としては、教育の方法は探求の方法にもっとも近い場合が最良であると確信している。なぜなら、そうすれば、不毛で命なき真実を食卓に出すのではなく、それが生えている親木のところへ通じることになるからである。それは、読者自身を創意工夫の軌道に乗せることになるし、もし著者が幸いにも価値ある発見をした場合には、その発見をした道筋に読者を導くことになるのである。

しかし、あらさがしをあらかじめ防ぐために言わせていただくなら、私は趣味という言葉で、想像力の産物や洗練された芸術に感銘を受けたり、それらに対して判断を下す精神のひとつあるいは複数の能力のことだけを意味しているのである。思うに、それはこの言葉のもっとも一般的な観念であり、特定の理論とはまったく無関係なものである。この探求における私の眼目は、想像力が働くさいにしたがう原理があるかどうかを見つけることである。しかも、その原理は、想像力に関する推論の手段を満足のゆくかたちで与えてくれるくらいに、万人に共通で、強固に基礎づけられているようなものでなければならない。そして、そうした趣味の原理は存在すると私は考えている。たとえ、趣味はその種類と程度においてあまりに多様であるので、趣味ほど定めがたいものはないと、皮相な見解に基づいて思い込んでいる人々にとって、そうした考え方がどれほど逆説的なものに思われようとも。

私が知る人間の自然な能力の中で、もっとも外的な事物になじみやすいのは感覚、想像力、判断力である。まず感覚について考えよう。人間の器官の構造はほとんどもしくはまったく同じであるのだから、外的事物を知覚する仕方はすべての人間において同じであるか、もしくはほとんど違わないとわれわれは想定しているし、また想定しなければならない。ある人の目に明るいものは他の人の目にも明るい、ある人の味覚に甘いものは他の人にも甘い、この人にとって黒く苦いものはあの人にとっても同様に黒く苦い、とわれわれは信じて疑わない。大きい小さい、硬い軟らかい、熱い冷たい、粗い滑らかといったこと、そしてじっさいに物体がもつすべての性質や属性についても、われわれは同様に結論している。もし、人間の感覚が、人によって事物の異なったイメージを与えるとあえて想像してみるなら、この懐疑的手続きは、あらゆる主題に関するあらゆる推論を無益でばかげたものにしてしまうし、知覚の一致に関して疑問を抱くようにわれわれを説き伏せた当の懐疑的推論すらその例外ではない。だが、同じ物体は人間という種全体に、似かよったイメージを提示することにほとんど疑いはないわけだから、あらゆる対象は一人の人間に喚起する快と苦を、少なくとも、その力が自然かつ単純にそれだけで働いている間は、すべての人間に喚起するということが、必然的に容認されねばならない。なぜなら、もしそのことを否定するなら、同じ種類の対象に同じように働きかける同じ原因が、違った結果をもたらすということをわれわれは想像しなければならず、とてもばかげたことになってしまうからである。最初に味覚（taste）に関してこの点を考察してみよう。なんといっても、われわれが問題にしている能力は、この感覚から名前を取っているのだから。すべての人間は、酢は酸っぱく、蜂蜜は甘く、アロエは苦いと言うことに同意している。これらの対象にこうした性質を見出すことに同意しているのだから、それらがもたらす快と苦に関する効果に関しても、意見を異にすることはないだろう。人は一致して甘さを快いと言うし、酸っぱさや苦さを不快であると言う。ここに意見の多様性は存在しないし、存在しないということは、味覚から取られた隠喩における万人の意見の一致からも十分にあきらかである。酸っぱい（意地悪い）性格、苦い表情、苦々しい呪詛、苦い運命といった用語は、すべての人々が十分に深く理解する。また、われわれが甘い性格、甘い人間、甘い条件と言った場合も、われわれは同様によく理解してもらえる。たしかに、慣習その他の原因によって、いくつかの味覚に属する自然な快や苦に逸脱がもたらされることは認めねばならない。だが、その場合でも、自然な味わいと後から身についた味わいの区別は最後まで残るのである。人はしばしば砂糖の味より煙草の味を、牛乳の風味より酢の風味を好むようになる。だが、煙草と酢は甘くないことを感じ、習慣のみがそうした異質な快に舌を慣らすのだということを知っているかぎり、そのことが味覚に混乱をもたらすことはない。そういう人と出会っても、われわれは味覚に関して、十分な正確さをもって話すことができる。しかし、もし人が、自分にとって煙草は砂糖のような味がするし、牛乳と酢の味の区別ができないとか、あるいは煙草と酢は甘く、牛乳は苦く、砂糖は酸っぱいなどと宣言するなら、われわれは即座に、その人の器官は狂っているし、彼の味覚は完全に損なわれていると結論を下すのである。そうした人と味覚に関して到底意見を交わすことができないのは、すべての部分の和が全体と一致するということを否定する者と、量の関係について意見を交わすことができないのと同様である。われわれはこうした者を、意見がまちがっているとは言わずに、完全に狂っていると言うのである。どちらにしてもこの種の例外は、われわれの一般法則に疑問を投げかけるものではないし、事物の量の関係や味覚に関して、人は多様な原理をもっているという結論をわれわれに出させるものでもない。だから、趣味についての議論はできないと言われるとき、それは特定の人が特定のものの味からどのような快や苦を見出すかを厳密に答えられないということだけを意味している。じっさいそれを議論することはできない。しかし、われわれは、感覚に対して自然に快いものと不快なものに関して議論することはできるし、しかも十分な明晰さをもってできるのである。しかし、特殊で後天的な味わいについてわれわれが語るさいには、われわれはその特定の人の習慣、偏見、身体の不調について知らねばならないし、それらから結論を引き出さねばならない。

こうした人類の一致は味覚にかぎらない。視覚に由来する快の原理は、みなに共通である。明るさは暗さよりも快い。大地が緑に覆われ、空が澄んで明るい夏は、すべてのものが違った表情を帯びる冬よりも心地よい。人であれ、獣であれ、鳥であれ、植物であれ、美しいものが人々——たとえそれが百人であっても——に示されて、彼らが即座にそれが美しいと同意しなかったことは記憶にない。もちろん、人によっては期待ほどではないとか、もっといいものがあるといった見解をもったかもしれないけれども。私は、鵞鳥が白鳥よりも美しいと考えたり、いわゆるフリーツランド種の鶏が孔雀に勝ると思ったりする人はいないと信じる。つぎのこともまた言わねばならない。視覚の快は味覚の快ほど複雑でもなく、混乱してもいないし、また、不自然な習慣や観念連合によって変更を加えられることもない。なぜなら、視覚の快は一般にそれ自体で自足しているし、視覚それ自体と無縁な思考によって変更を加えられることもないからである。しかし、視覚の場合と違って、事物は味覚に対して自発的に自らを提示するわけではない。それらは食べ物や薬として味覚に適用される。それらがもつ栄養的、薬効的な性質から、段階的にあるいは観念連合の力によって、それらが味覚を形成してゆくこともしばしばである。こうして、トルコ人にとって阿片は、それが生み出す快い幻覚によって快適なものとなる。煙草は無感覚と心地よい麻酔状態を広めるために、オランダ人たちの楽しみとなる。発酵した酒は一般大衆を楽しませるが、それは酒が憂さを晴らし、未来や現在の心配事を消し去るからである。もし最初から味以上の属性をもたなければ、それらは完全に顧みられることはなかったであろう。しかし、それらは、紅茶、コーヒーその他と一緒に、薬剤師の店からわれらの食卓にもたらされ、健康のために長く摂取されることによって、快いものと考えられるようになったのである。薬品としての効果ゆえに、われわれは頻繁にそれを用いる。快適な効果と結びついた頻繁な使用は、ついには味そのものを快適なものに変えるのである。だが、このことは、われわれの推論にとってけっして障害とはならない。なぜなら、われわれは後天的な味覚と自然な味覚を最後まで区別できるからである。はじめて食べる果実の味を記述するさいに、人はその甘く快い風味を煙草や阿片やニンニクのようだとは言わないだろう。たとえ、これらの薬品を常用して、それらに大いなる快を見出している人に対してであっても。すべての人間には、根源的で自然な快の原因の十分な記憶があって、彼らの感覚に対して提示されたすべてのものをその規準に照らし、その規準によって自分の感情や意見を制御することができるのである。味覚が損なわれたために、バターや蜂蜜よりも阿片の味を快いと思うようになった人に、海葱根（かいそうこん）〔ユリ科で強心薬などに用いられる〕の丸薬が与えられたと想像してみよう。この者が、この胸の悪くなるような小片あるいは彼が慣れていないその他の苦い丸薬よりも、バターや蜂蜜を好むであろうことにほとんど疑いはない。これはつぎのことを証明している。つまり、彼の味覚はもともと他の人々とあらゆる点で同じだったということ、彼の味覚は依然として他の人々と多くの点で同じであり、特定の点でのみ損なわれているということである。というのは、どんな新しい味を判断するさいにも、たとえ習慣によって好むようになったものに似通った味を判断する場合であっても、彼の味覚は自然な仕方で、共通原則に則って、作用を受けるからである。このように、すべての感覚の快は、視覚においても、感覚の中でもっとも曖昧な味覚においてさえも、身分の上下や学識の有無にかかわらず、万人に共通なのである。

感覚によって与えられる快と苦を伴う観念以外に、人間の精神は、感覚によって受け入れた順序と仕方にしたがって事物のイメージを自在に再現したり、それらのイメージを新しい仕方や違った順序で結合したりする、独立したある種の創造的な力をもっている。この力は想像力と呼ばれ、機知、空想、創意などと呼ばれるものはみな、それに属している。だが、想像力は、完全に新しいものを生み出せないということは述べておかねばならない。想像力は感覚から受け取った観念の配列を変えることができるだけである。さて、想像力は快と苦のもっとも広大な領域である。なぜなら、われわれの恐怖、われわれの希望、われわれのすべての情念の領域が、快と苦に結びついているからである。根源的で自然な印象の力によって、これら支配的な観念を伴ったかたちで想像力に働きかけようとするものは何でも、すべての人間に対してきわめて等しい力をもつはずである。なぜなら、想像力は感覚のたんなる代理であるのだから、現実によって感覚が楽しんだり不快になったりするのと同じ原理によって、想像力はイメージによって楽しんだり不快になったりすることしかできないからである。結論としては、想像力においても、人々の間の感覚における一致と似かよった一致があるに違いないということになる。少し注意を払いさえすれば、われわれはそれが必然的に事実であるという確信をもつことになるだろう。

しかし、想像力においては、自然の事物の属性から生じる快と苦のほかに、模倣が原型に対してもつ類似性から快が知覚されることがある。私が思うに、想像力はこれら二つの原因から生じる以外の快をもつことはない。これらの原因はすべての人間にひとしく働く。なぜなら、それらは自然にある原理によって働くのであり、しかもその原理は特定の習慣や利得から生じるものではないからである。ロック氏〔英国の哲学者ジョン・ロック（一六三二―一七〇四）のこと〕は正当かつ精妙に、機知は主に類似性をなぞることに関係があると述べている。彼は同時に、判断力の仕事は、差異を発見することにあると述べている。そう想定すれば、機知と判断力の間には実質的な差異はないように思われるかもしれない。というのも、それらはどちらも比較という同じ能力の異なった作用の結果のように見えるからだ。しかし、じっさいには、それらが精神の同じ力に依存していようがいまいが、多くの点でとても異なっているので、機知と判断力が一人の人間の中で完全に結びついていることは、世界でもっとも希なのである。二つの別個な対象がお互いに似ていない場合、それはたんにわれわれの期待どおりのことである。そうしたことはありふれており、それらが想像力に印象を残すことはない。だが、二つの別個の対象が似ていれば、われわれは驚き、注意を払い、そして嬉しくなる。人間の精神というものは生まれつき、違いを探すよりも、類似性を見つけることに、はるかに大きな積極性と満足をもっているのである。なぜなら、類似性をつくり出すことでわれわれは新しいイメージを産み出すからである。われわれは自分のもつ蓄えを結びつけ、創造し、拡大するのである。しかし、区別をすることは想像力にいかなる糧も与えない。その仕事自体は厳しくうんざりするようなものである。そして、そこから得られる快は、その性質上、消極的で間接的なものである。午前中にある知らせが告げられる。それはたんなる一片の知らせとして、私の蓄えの増加として、私にある一定の快を与える。晩に私はその知らせには何の内容もなかったことを発見する。私はそこに、騙されていたことを知る不満以外の何を見出すだろうか。ここからわかるのは、人は生まれつき、不信よりも信に傾きがちであるということである。観念を区別したり分類したりすることが苦手で遅れている無知で野蛮な民族の多くが、たとえ話、比較、隠喩、寓話においてしばしば秀でているのは、この原理に基づいているのである。ホメロスや東洋の作家たちが、たとえ話を好み、本当に賞讃すべきたとえ話をしばしばつくり出すにもかかわらず、たいていの場合正確さに無頓着なのは、この種の理由によるのである。つまり、彼らは類似性に引きつけられ、それを力強く描くが、比較されたものの間の差異に注意を払わないのである。

さて、類似性の快は、主として想像力を楽しませるものであるから、表象され比較される事物に関する知識の広さが同じなら、すべての人間において、想像力の楽しみはほとんど等しい。この知識の原理はきわめて偶然的なものである。なぜなら、それは経験と観察に依存しているのであって、生まれつきの能力の強さや弱さに依存しているのではないからである。われわれが通常、不正確に、趣味の違いと呼ぶものは、この知識の違いから生じる。彫刻を知らない人が人間の頭部のかたちをした鬘台やありきたりの彫刻を見れば、すぐに驚き、嬉しく思う。なぜなら、彼は人間の姿に似たものを見たからである。彼はその類似性に関心を抱き、その欠点には注意を払わない。模倣作品を最初に見た人で、その欠点に注意を払ったような人はいないだろうと私は信じる。しばらくすれば、この初心者はもっと技巧が凝らされた彫刻作品に出会うであろう。そうなると彼は最初に賞讃したものを、軽蔑をもって見始める。最初のときでも、彼は人間との非類似性ゆえに彫刻を賞讃したのではなく、それがもっている人間の姿との、不正確ではあるが一般的な類似性ゆえに賞讃したのである。異なった時点で異なった像について彼が賞讃したものは、厳密に言えば同じである。つまり、知識が向上しても、趣味は変わらないのである。ここまでは、彼のまちがいは、美術に関する知識の欠如から来ていた。それは未経験から来ていたのである。しかし、自然に関する知識の欠如から彼が依然として不十分な鑑賞者だという可能性はある。というのも、問題の人物がここで歩みを止めて、偉大な作者の傑作も、低俗な作家の凡庸な作品と同じくらいしか、彼を楽しませないことだってありえるからである。このことは、よりよい高度な趣味の欠如から来るのではなく、すべての人間が模倣作品を適切に判断できるくらい十分に正確に、人間の姿を観察しているわけではないからなのである。批評的趣味が人間の優れた原理に依存するのではなく、優れた知識に依存しているということは、いくつかの例からわかるだろう。古代の画家と靴屋の話はよく知られている。その靴屋は、画家が描いたひとりの人物の靴について画家が犯したまちがいを正した。画家は、靴についてそれほど正確な観察をせずに一般的な類似性で満足しており、そこまで観察したことはなかったのである。だが、これはこの画家の趣味を非難することにはならない。彼は製靴の技術に関する知識不足を示しただけなのである。ある解剖学者が画家の作業部屋に入って行ったと想像してみよう。彼の作品は概してよくできており、問題の人物の姿勢もよい。各部分もさまざまな動きによく合致している。だが、画家の仕事に批判的なこの解剖学者は、ある筋肉の盛り上がりが、人物の特定の動きに完全に合ってはいないことを観察するかもしれない。ここで解剖学者は、画家が観察しなかったことを観察しているのであり、また、靴屋が注目したことを見すごしているのである。しかし、解剖学に関する究極的な批評的知識をもたないことが、この画家もしくはその作品の一般的な鑑賞者の自然なよい趣味に影響をおよぼさないのは、正確な製靴の知識の欠如が影響をおよぼさないのと同じである。洗礼者ヨハネの斬首の優れた絵画をトルコ皇帝に見せたとき、彼は多くの点を褒めたが、一つの欠点を指摘した。皇帝が言うには、首の切られた部分から皮膚が縮れていなかったのだ。このときのトルコ皇帝はとても正確だったけれども、彼はこの絵を制作した画家や、おそらく同様のことを指摘しなかったであろうヨーロッパの目利きたちよりも、より優れた生まれつきの趣味を示したわけではない。このトルコ皇帝は、他の者たちが想像力の中でしか見ていない恐ろしい光景を、じっさいに見慣れていたのである。人々が気に入らない点を見つけるさいには、彼らの知識の種類や程度の違いから生ずる違いがあらゆる人の間に存在する。しかし、画家、靴屋、解剖学者、トルコ皇帝に共通するある事柄が存在する。それは、自然の事物が正しく模倣されたと知覚するときに生じる快であり、快適な形象を見るときの満足であり、衝撃的で感動的な出来事から生じる共感である。趣味が自然なものであるかぎり、それは万人にほぼ共通なのである。

詩その他の想像力の作品においても、同様の一致が存在する。たしかに、ウェルギリウスに冷淡で『ドン・ベリアニス』〔スペインの作家ジェロニモ・フェルナンデス作のロマンス作品〕に魅せられる者がいる一方で、『アエネーイス』に恍惚となって、『ドン・ベリアニス』を子供向けと考える者もいる。この二人はお互いにとても違った趣味をもっているように見えるが、しかし、その違いはわずかなのである。二つの作品は正反対の感情を喚起するけれども、どちらも賞讃を呼び起こす話が語られている。どちらも行動に溢れており、どちらも情熱的である。どちらにも、航海、戦い、勝利、運命の絶えざる転変がある。『ドン・ベリアニス』を賞讃する者は、『アエネーイス』の洗練された言語を理解できないのであり、もしそれが『天路歴程』の文体にまで落とされた場合には、『ドン・ベリアニス』を賞讃したのと同様の原理に基づいて、『アエネーイス』がエネルギーに満ち溢れていると感じるであろう。

そうした読者は、お気に入りの作家における蓋然性のたえざる無視、時間の混乱、礼儀作法違反、地理的関係の無視にショックを受けることはない。なぜなら、彼は地理や歴史を知らず、蓋然性の根拠を調べることもないからである。おそらく彼は、ボヘミアの海岸での難破を読み、かくも興味深い出来事に引き込まれ、主人公の運命だけを知りたがり、この法外なしくじりに悩まされることはまったくないだろう〔ボヘミアの海岸はシェイクスピアの『冬物語』に登場する〕。なぜなら、ボヘミアを大西洋の島であろうとしか考えない者が、どうしてボヘミアの海岸での難破にショックを受けることがあるだろうか。結局、そうしたことは、ここで想定されている程度の自然でよい趣味にとって、どんな不名誉になるのだろうか。

趣味が想像力に属しているかぎり、その原理はすべての人間において同一である。影響の受け方、影響の原因において違いはない。しかし、その程度には違いがあり、それは主として二つの原因から生じる。ひとつは生まれもった感受性の程度の違いであり、もうひとつは対象へ払う、より綿密でより長きにわたる注意である。同様の違いが見られる感覚の働きを例にとって説明するために、滑らかに磨かれた大理石のテーブルが二人の男の前に置かれたと想定してみよう。彼らはそれを滑らかと感じ、その性質ゆえに快く感じる。ここまでは一致している。しかし、もうひとつ、さらにもうひとつのテーブルが彼らの前に置かれたと想定しよう。後者は前者よりも滑らかである。滑らかさと、そこから生じる快について一致していたこれらの者たちが、どちらのテーブルが滑らかさの点で勝っているかを決定するさいに、意見の一致を見ないということは、大いにありえる。人が物事の超過や不足を、測定ではなく程度で比較するようになると、趣味の大きな違いが本当に存在する。超過や不足があからさまでない場合にそのような違いが発生すると、問題を解決することは容易ではない。もし、意見の違いが二つの量に関するものであるなら、われわれは共通の尺度に頼ることができるし、それは最高の正確さでもって、問題を解決できるだろう。そして、私が思うに、それこそが何にもまして数学的知識に大きな確実性を与えるものである。しかし、滑らかさ粗さ、硬さ柔らかさ、暗い明るい、色調といったような、超過を大小で測れないものの場合、違いがかなり大きければとてもかんたんに判別できるけれども、違いが微妙な場合には、何らかの共通の尺度がなければ――そしてそれが発見される見込みはない――判別はやさしくないのである。こうした微妙な場合には、感覚の鋭さが同じなら、そうした事柄に対する注意と慣れが大きい方が有利であろう。大理石のテーブルの場合には、大理石研磨職人がもっとも正確に決定できるであろう。だが、感覚とその代理人たる想像力に関する多くの議論を解決するための共通の尺度がないにもかかわらず、われわれは、原理は万人に共通であることを発見したし、また、物事の卓越や差異に関する吟味――それがわれわれを判断の領域へと誘うのだが――を開始するまでは、不一致は存在しないことを発見したのである。

事物の可感的な性質に関するかぎり、想像力以上のものは、ほとんどそこに関与しないし、情念が提示されたときにも、想像力以上のものはほとんど関与しない。というのは、自然な共感の力によって、それらは推論に頼ることなくすべての人間において感じられるし、それらの正しさはすべての人間の胸中で認識されるからである。愛、悲しみ、恐怖、怒り、嬉しさといった情念は、それぞれすべての人間の精神に影響をおよぼす。そして、それらは恣意的で偶発的な仕方によってではなく、ある自然で均一な原理に基づいて、影響をおよぼすのである。しかし、多くの想像力の産物は、可感的な対象の表象あるいは情念に関する作業に限定されているわけではなく、礼儀作法、性格、行動、人間の意図、人間関係、人間の美徳と悪徳にまでおよぶわけだから、それらは判断力の領域に入ってくるし、判断力はまた、注意と推論の習慣によって向上するのである。これらすべては、趣味の対象と考えられるものの大きな部分をなしている。そして、ホラティウスはそれらについて教育するために、われわれを哲学の学校と世間へと送りだすのである。道徳と人生の知恵について到達できる確実性は、模倣作品中のそれらに関してわれわれが到達できる確実性と同程度なのである。じっさい、識別のために趣味と呼ばれているものは、礼儀作法における熟練、時と場所にしたがうこと、一般的な上品さ——それらはホラティウスがわれわれに勧めてくれた学校でのみ学ぶことができるのだが——といったものに存している。趣味とはじっさいは洗練された判断力にすぎない。全体として、もっとも一般に受け入れられている意味での趣味と呼ばれるものは、単純観念ではなく、部分的には一次的な感覚の快の知覚と、二次的な想像力の快と、それらのさまざまな関係と人間の情念、礼儀作法、行動に関する推論能力による結論とから構成されているように思われる。趣味を形成するためには、それらすべてが必要なのであり、それらすべての基礎は人間の精神において同一である。というのは、感覚がわれわれのすべての観念の大いなる起源であり、結果としてわれわれのすべての快の起源であるのだから、もしそれらが不確実かつ恣意的でないなら、趣味の基礎は万人に共通であり、こうした事柄に関する決定的な推論の十分な基礎となるのである。

趣味をその性質と種類だけにしたがって考察している間は、われわれはその原理がまったく一様であることを見出すだろう。しかし、これらの原理が何人かの個人において支配的になるその程度は、原理そのものが似かよっているのと反比例するかのように、まったく異なっているのである。というのは、一般に趣味と呼ばれているものを構成する性質である感受性と判断力は、さまざまな人々の間で大きく異なるからである。これらの性質のうち、前者に欠陥があれば趣味の欠如が生じる。後者が弱ければ、まちがったもしくは悪い趣味がつくられる。人間の中には、感情があまりに鈍く、気質があまりに冷淡で粘液質であるがために、生きている間中ずっと、ほとんど目覚めていないと言われる者もいるのである。そのような人にとっては、もっとも衝撃的な対象でさえ、かすかでぼんやりとした印象しか残さない。ほかにも、野卑でたんに官能的な快楽につねに突き動かされているために、あるいは卑しい吝嗇にかまけすぎているために、あるいは名誉と卓越の追求にあまりに熱心であるがために、これらの激しく嵐のような情念の暴風に絶えず慣らされてしまった彼らの精神が、想像力の繊細で洗練された遊戯によって動かされることがほとんどなくなってしまう場合もある。これらの者たちは、違った理由からではあるが、前者と同じように麻痺し、無感覚になっているのだ。しかし、いずれの者たちも、たまたま自然の優美さや偉大さ、あるいは芸術作品の中のそうした性質に打たれることがあれば、彼らは同じ原理に基づいて感動するのである。

まちがった趣味の原因は、判断力の欠陥である。それは悟性（その能力の強さが何に存するにせよ）の生まれつきの弱さ、もしくは、こちらの方がありがちなことだが、適切で正しい方向性をもった訓練――それだけが悟性を強く即応性をもったものにすることができる――の欠如から生じてくる。その他にも、無知、不注意、偏見、性急さ、軽率さ、頑固さ、つまり、こうしたすべての情念やすべての悪徳――これらは他の事柄においても判断力をねじ曲げる――が、その洗練された優美な領域においても同様に、判断力を偏向させるのである。これらの原因は、悟性の対象となるすべてのものに関する異なった意見を生み出すが、理性の定まった原理など存在しないとわれわれに考えるように説き勧めることはない。じっさいに、全体として人間の間には、純粋に理性だけに依存する事柄に関する違いよりも、趣味に関する事柄の違いの方が少ないということが観察されるであろう。人々は、アリストテレスの理論の真偽についてよりも、ウェルギリウスの描写の卓越性に関して、はるかによく意見の一致を見ているのである。

よい趣味と呼ばれる芸術における判断力の正しさは、かなりの部分を感受性に依存している。というのは、精神が想像力の快を求める強い傾向をもたなければ、想像力が生み出した作品に関する完全な知識を得るのに十分なくらい、それらに没頭することはないからである。しかし、よい判断を形成するためにある程度の感受性が必要だとはいえ、よい判断はかならずしも快に関する鋭敏な感受性から生じるわけではない。とても稚拙な判断力しかもたない人が、体質的な感受性の力によって、すぐれた鑑定人が完璧な作品から受けるよりもずっと大きな感銘を、とても稚拙な作品から受けるということはしばしば起こる。というのは、新しいもの、異常なもの、大きなもの、激情的なものは、そうした人間に大きな影響を与えることになっており、欠点は彼に影響を与えないので、彼が感じる快は純粋で混じりけのないものとなるのである。そして、それはたんなる想像力の快であるがゆえに、判断力の正しさに由来するどんな快よりも大きい。判断力は大部分、想像力のゆく手に躓きの石を投げ、魅惑の場面を追い散らし、不愉快な理性のくびきに自らを縛りつけるために用いられるのである。というのは、他人よりもよく判断したことから得られる唯一の快は、ある種の意識的な誇りと優越性に存するのであり、それは正しく考えるということから生じる。しかし、そうだとしたら、それは間接的な快、すなわち思い描いている対象から直接に生じるのではない快なのである。人生の朝の時期には、感覚は摩耗しておらず柔らかく、体全体のあらゆる部分が目覚めており、われわれを取り巻くすべてのものには目新しい新鮮さの輝きがある。そのとき、われわれの感覚はなんと生き生きしているであろうか。そして、われわれは物事に関して、なんとまちがって不正確な判断を下すであろうか。私は、天才のもっとも卓越した仕事からでさえ、現在の私の判断力が些細で軽蔑すべきものとみなす作品からその年頃に感じていたのと同じ程度の感動を得ることは、もはや絶望的だと思う。あまりに快活な気質をもった人は、あらゆる些細な快の原因から影響を受けやすい。彼の欲求はとても鋭いので、彼の趣味は繊細になれないのである。彼はあらゆる点で、愛に関してオウィディウスが言ったような人物なのである。

私の優しい心には、的外れな愛の矢でも当たってしまう。それも当然のこと。
だから、私を、愛するがままにしておいておくれ。

〔オウィディウス『愛の技法』第十五巻七九〜八〇行〕

こういう性格をもった人は、けっして洗練された判断者になれない。あの喜劇的詩人が「何とも注文の多い判断者」（*elegans formarum, spectator*）〔テレンティウス『無能者たち』五六六行〕と呼んだ者にはけっしてなれないのである。作品の卓越性と力を、だれかの精神に対する効果から測ることは、その精神の気質と性格を知らなければ、いつだって不完全なものにしかならないのである。詩と音楽のもっとも力強い効果は、それらの芸術が低次元で不完全な状態にある場合でも示されてきたし、今でも示されている。未熟な聞き手は、それらの芸術のもっとも未熟な状態においても作用している原理によって、影響を受けるのである。そして欠点に気づくほどの技量はない。しかし、芸術が完成に向けて進歩するにつれて、批評の学も同じペースで進歩し、判断者の快は、どれほど完成された作品においても発見される欠点によってしばしば妨げられることになるのである。

この主題を離れるにあたって、私は多くの人々が抱いている意見に対して、注意を払わずにはおれない。その意見は、趣味をあたかも精神の独立した機能であり、判断力や想像力とはべつなものであると見なしている。つまり、趣味はひとつの本能であり、それによってわれわれは自然に、一目見たときから、その作品の卓越性や欠点に関して前もって推論することなしに、感動するのだというのである。想像力と情念に関するかぎり、理性がほとんど介在しないことは真実であると思われる。しかし、配列、様式、調和などが関係するところ、つまり最良の趣味を最悪の趣味から区別するものが関係するところでは、悟性が、そして悟性だけが働いていると私は確信している。そしてその機能は、じっさいには、つねに迅速なものであるわけではけっしてないし、迅速な場合にはしばしばまったく正しくないのである。熟慮によって最良の趣味を示す者は、しばしば以前の性急な判断を改める。それは、どっちつかずやためらいを嫌うという理由だけで精神が即座に下したがる判断なのだ。趣味は(その正体が何であれ)判断力の改善——それは知識の拡大、対象につねに注意を払うこと、頻繁な訓練によって実現する——に正確に比例して改善することはよく知られている。こうした方法を取らない者たちが、その趣味によって素早い判断を下した場合、いつも不たしかなのである。彼らの素早さは、思い込みと性急さによるものであり、精神からすべての闇を一瞬にして吹き払う突然の光明によるものではないのである。趣味の対象となるような種類の知識を育んだ者は、徐々にかつ不断に、判断の健全性だけでなく即応性をも獲得するが、それはその他のあらゆる場合と同様の手順を踏むのである。最初は字を綴る練習をしなければならないが、最後には、楽々と迅速に読み取るのである。だが、この迅速さは、趣味が独立した能力であることを証明するわけではない。私が思うに、純粋な理性の領域の内部にある問題に向けられた議論の進行を観察したことがある者なら、発見された根拠、提起され答えられた異論、前提から引き出された結論などに基づいて、趣味が働く場合に想定されているのと同じくらいとても迅速に、議論が進行するのを見たことがあるはずである。しかも、そこでは純粋な理性だけが働いており、また働くことができると想定されているのである。異なる外見に対していちいち異なる原理を増やしてゆくことは、無益であるし、とても非哲学的なことでもある。

この問題をさらに追求することもできるが、それはわれわれの探求の限界を定めることを目的とするこの主題の範囲内ではない。というのは、無限に枝分かれしてゆくことのない問題などありはしないからである。ここでの計画の性質と、それを考察するさいに取るべき単一的視点ということを考えれば、われわれの考察はここでひとまず終わりとしなければならない。

第一部

第一節　目新しさ

　われわれが人間の精神に見出す最初のもっとも単純な情緒は好奇心である。好奇心という言葉で私は、目新しいものに対してわれわれがもつあらゆる欲望と快を意味している。われわれは子供たちが新しい何かを探し求めて、たえずあちこちと駆け回るのを見る。彼らは目の前にあるものに対して、とても熱心に、ほとんど選別することなく、手を伸ばす。彼らの注意はあらゆるものに引きつけられる。なぜなら、人生のこの段階にある者にとって、あらゆるものはそれを引き立てる目新しさの魅力をもっているからである。しかし、たんなる目新しさだけで注意を引く物事は、長い間われわれを引きつけることはできないがゆえに、好奇心はすべての情動の中でも、もっとも浅薄なものである。それは対象をたえず変えてゆく。それはとても鋭い欲求をもっているが、とてもかんたんに満足する。そしてそれはつねに浮ついて、落ち着きのない、不安な外見をもっている。好奇心は、その性質上とても活発な原理である。それは対象の大部分に素早く触れてゆくので、自然の中に通常見出される多様性はすぐに尽きてしまう。同じ物事が頻繁にくり返されるが、そのたびに快適な効果は減少してゆく。つまり、もし多くの物事が目新しさ以外の力によって、またわれわれ自身がもつ好奇心以外の情動によって、精神に働きかけるようにできていないのであれば、人生中の出来事は、われわれがそれを少々知るようになるころまでには、うんざりして飽き飽きしたという感覚を伴わずに、われわれの精神に作用することはできなくなるであろう。これらの力と情念についてはしかるべき場所で説明する。しかし、その力が何であれ、またどのような原理に基づいて精神に作用するのであれ、日常的に身近で用いられることによって何の感銘も与えなくなってしまった物事においては、それらが発揮されなくなるのは、絶対的に避けがたいことである。ある程度の目新しさは、精神に働きかけることを目的としたあらゆる手段の材料のひとつとなる必要がある。そして、好奇心は、多かれ少なかれ、われわれのあらゆる情念と混じり合っているのである。

第二節　苦と快

それゆえ、かなりの程度人生を過ごした人々の情念を動かすためには、その目的にあてられた対象が、ある程度新しいということに加えて、それ以外の原因から苦（pain）もしくは快（pleasure）を喚起できることが必要である。快と苦は定義不可能な単純観念である。人々は自分の感情についてまちがうことはあまりないが、感情に与える名前やそれらに関する推論においては、しばしば誤るのである。多くの者は、苦は快を取りのぞくことから必然的に生じるという意見をもっている。というのは、彼らは、快は苦が終わるもしくは減少することから生じると考えているからである。私自身はむしろつぎのように考えている。苦と快は、それらのもっとも単純で自然な作用において、それぞれに積極的な性質であり、それぞれが存在するために互いに依存し合っているわけではない、と。人間の精神はしばしば、そして思うに大部分は、苦でも快でもない状態にある。その状態を無関心と呼ぼう。私がこの状態からじっさいの快の状態へと移行するとき、どんな場合においても苦という中間物を通りぬける必要があるとは思えない。そのような無関心——それを安楽とか静穏とか何とでも好きに呼んでかまわないが——の状態にあるときに、突然音楽の演奏会で楽しんだとしよう。あるいは、美しい姿をもつ対象と明るく生き生きした色彩が目の前に示されたとしよう。あるいはあなたの嗅覚がバラの香りで満足したとしよう。あるいは喉は乾いていなかったが美味しい種類のワインを飲む、もしくはお腹がすいていないときにお菓子を食べるとしよう。聴覚、嗅覚、味覚といったこれらいくつかの感覚において、疑いなくあなたは快を見出す。だが、もし私が、その満足に先立つ自分の精神の状態についてあなたに尋ねても、どんな種類の苦もほとんど見つけられなかったとあなたは答えるだろう。あるいは、いくつかの快でいくつかの感覚を満足させた後で、快は完全に終わってしまったが、その後に何らかの苦が引きつづいてやって来たとあなたは言うだろうか。他方、同様に無関心な状態にある者が、激しく打たれた、苦い薬を飲んだ、不快で耳障りな音で耳を傷めた、といったことを想定してみよう。ここに快の除去はない。だが、作用を受けたすべての感覚は、とてもはっきりとした苦を感じるのである。これらの場合において、苦はそれまでその人が享受していた快の除去から生じたのだが、その快は程度においてあまりに低いものだったので、取り去られることによって初めて知覚されたのだと言うことも、おそらくできるだろう。しかし、それはあまりに微妙なので、自然の中に発見できないようなものである。というのは、もし、苦に先立って私が快をじっさいに感じていないなら、私がそのようなものが存在すると判断する理由がないからである。なぜなら、快は感じられて初めて快であるからだ。同様のことは、同じ理屈をもって苦についても言える。私自身は、快と苦が、対照されたときだけ存在するたんなる相関的なものであると信じることはけっしてできないし、お互いにまったく依存することのない積極的な苦と快が存在することを、はっきりと識別することができる。そのこと以上に私自身の感情にとってたしかなことはない。無関心、快、苦という三つの状態が存在するということほど、私の精神の中で明瞭に区別できることは、ほかにはないのである。私は、その中のどれかとの関係についての観念なしに、その中のどれかを知覚することができる。カイウスは疝痛の発作で苦しんでいる。彼はじっさいに苦痛の中にいる。彼を拷問にかければ、彼はさらに大きな苦痛を感じるだろう。しかし、この拷問による苦しみは、何らかの快の除去から生じたのだろうか。あるいは、その疝痛の発作は、それをどう考えるかに応じて、快になったり苦になったりするのであろうか。

第三節　苦の除去と積極的な快の違い

われわれはこの命題をさらに一歩進めることにする。つぎのことを提案することになるだろう。それは、苦と快はその存在を、他方の減少や除去にかならずしも依存しないというだけではない。快の減少や終焉は積極的な苦と似かよった作用をじっさいにもつことはないし、また、苦の除去や減少は、その効果において積極的な快に似たところは非常に少ないということである。* 私が思うに、これらの命題のうち前者は、後者よりもすんなりと受け入れられるであろう。というのは、快が終わったとき、われわれはそれが始まる以前とほとんど同じ状態に戻るということは、とても明白だからである。あらゆる種類の快は、素早くわれわれを満足させる。それが終わると、われわれは無関心の状態に陥るか、もしくは、それまでの感覚の快適な色彩を維持した穏やかな静謐に浸るのである。大きな苦の除去が積極的な快に似ていないということは、一見してそれほどあきらかではないと私は認める。だが、差し迫った危険から逃れたとき、あるいは激しい苦痛から逃れたとき、われわれの精神がどのような状態にあるのかということを思い出してみよう。私がまちがっていなければ、そうしたときのわれわれの精神のあり方は、その状態において、積極的な快の存在に伴うものとはとても違っている。われわれは自分たちの精神が、恐怖の影が差したある種の静謐の中で畏怖の感覚の印象を受けたまま、とても醒めた状態にあるのを見出すのだ。そうした場合の顔の表情や体のしぐさは精神の状態にとてもよく対応しているので、そうした外見の原因を知らない者にとって、その人は積極的な快のような何かを享受しているというよりも、ある種の自失状態にあると判断するだろう。

あたかも、罪を意識した罪人が

殺人のために自分の生まれ故郷を追われ、
息も絶え絶え、青ざめて、驚いて、
目を見開き、驚愕して、やっと国境にたどりついたときのように。

〔『イリアス』第二四巻四八〇〜八二行、ポープ訳による〕

ホメロスが、差し迫った危険からやっと抜け出したとして描いたこの男の衝撃的な外見と、見る者を打つ恐怖と驚きの混じり合ったような種類の情念は、似かよった状況下でわれわれがどのような状態になってしまうかを、とても鮮やかに描いている。というのは、われわれが激しい情緒をかき立てられた場合、それを引き起こした原因が作用を止めた後でも、精神は当然ながらそれに似かよった状態の中にありつづけるからである。嵐の後には大きな波が残る。恐怖の名残が収まってゆけば、その出来事がかき立てたすべての情念は、それとともに静まってゆく。そして、精神はいつもの無関心の状態に帰ってゆくのである。つまり、私が思うに、快（私はこの言葉で、内的な感覚もしくは外見のどちらかに属するもので、積極的な快に由来するすべてのものを意味している）の原因は、苦痛や危険の除去にあるのではないのだ。

＊ロック氏（『人間知性論』第二巻第二〇章第一六節）は、苦の除去もしくは減少が快と見なされ、また快として作用するのであり、また快の喪失もしくは減少が苦と見なされ、また苦として作用すると考えている。われわれがここで考察しているのはそうした見解である。

第四節　お互いに対比されるものとしての悦びと快

しかし、だからといって、苦の除去もしくは苦の減少がいつもたんなる苦しみを後に残すと言えるのだろうか。あるいは快の休止もしくは減少が、いつも快を伴うと言えるのだろうか。けっしてそんなことはない。私が提言したいのはつぎのことだけである。第一に、積極的で独立した性質をもつ快と苦が存在するということ。第二に、苦の停止もしくは減少から生じる感情は、快と同様の性質をもつと考えていいほど、あるいは快という同じ名前で通用するのに相応しいほど、積極的な快と十分な類似性をもってはいないということ。第三に、同様の原理に基づいて、快の除去もしくは制限は積極的な苦と類似性をもたないということである。前者の感情（苦の除去もしくは緩和）はその中に、その性質上苦しいとか不快であるというのとはほど遠い何かを含んでいることはたしかである。多くの場合において快適だけれども、積極的な快とはあらゆる点で違っているこの感情は、私の知るところでは、名前をもっていない。しかし、だからといって、この感情が実在のものであり、他のすべての感情と異なっているという事実が変わるわけではない。あらゆる種類の満足もしくは快は、その作用の仕方においていかに違っていようとも、それを感じる者の精神において積極的な性質をもっていることは、きわめてたしかである。この情動は疑いなく積極的である。しかし、その原因がある種の欠如でありうるということは、この場合たしかなのである。性質においてこれほど違っている二つのもの――ひとつは単純で関係性をもたない快であり、もうひとつは関係性つまり苦との関係性なしでは存在しえない快――を、何らかの用語で区別することは、とても理にかなっている。その原因がこれほど識別可能で、その作用においてこれほど違っているこれらの情動が、世俗的な用語法で同じ名前を冠されているという理由でお互いに混同されているとしたら、それは異常なことである。この相関的な種類の快について私が語るときはいつでも、それを悦び（delight）と呼ぶことにする。そして、その意味以外でこの言葉を使わないように、最大限の注意を払うことにする。この言葉が一般にはそうした意味で用いられていないことは認めなければならない。だが、私はすでに知られている言葉を使ってその意味を制限する方が、われわれの言語にはうまく組み込めないであろう新語を導入するよりもいいだろうと考えたのだ。もし、哲学よりもむしろ実業の目的でつくられた言語というものの性質のために、また私の主題の性質のために、通常の論述の道筋から離れざるをえない事態が発生しなかったら、私は言葉に対してどのような小さな変更もあえてすべきではなかったろう。私はこの度を越した自由を、細心の注意を払って使わせていただく。私は悦びという言葉を、苦もしくは危険の除去に伴う感覚を表現するのに用いるように、積極的な快について語るさいには、それを大体においてたんに快（pleasure）と呼ぶことにしよう。

第五節　嬉しさと悲しさ

快の停止は三通りの仕方で精神に作用するということを述べておかなければならない。ある一定時間持続した後たんに停止した場合には、その結果は無関心（indifference）である。突然に断絶したのであれば、絶望（disappointment）と呼ばれる不快な感覚が後につづく。もし対象が完全に失われ、それをふたたび享受できる機会がなくなってしまった場合には、悲しみ（grief）と呼ばれる情念が精神の中に発生する。これらの中のもっとも激しいものである悲しみでさえも、積極的な苦に似てはいないと私は考える。悲しんでいる人間は、その情念が膨らむがままにし、それに溺れ、それを愛する。しかし、じっさいの苦痛の場合にはそれは起こらない。じっさいの苦痛をかなりの時間進んで耐えようとした者は、いまだかつていなかったのである。単純に快適な感覚ではけっしてないにもかかわらず、人が自ら進んで悲しみに耐えるということを理解するのはそれほど難しくはない。対象を絶えず眼の前に置き、もっとも快適な姿でそれを提示し、それに伴うすべての環境をもっとも緻密な細部にいたるまで反復するということが、悲しみの性質だからである。それはすべてのひとつひとつの楽しさに立ち返り、その各々に思いを巡らし、以前は十分には気づいていなかった何千という新たな完璧さを発見するのである。悲しみにおいては、依然として快は最高度に存在する。われわれが被る痛みは絶対的な苦——それはつねに忌わしく、できるだけ早く振り払いたい——とは似ても似つかない。数多くの自然で感動的なイメージで満ち溢れているホメロスの『オデュッセイア』の中でも、メネラーオスが彼の友人の悲惨な運命とそれに対する自分の感情に関して列挙するものほど、衝撃的なイメージを含むものはない。じっさい彼はそうした陰鬱な瞑想から身を休めるときがあると告白するが、また、憂鬱はそれ自体、自分に快を与えると述べてもいるのである。

心地よい悲しみの短い合間に、

私が負っている友への恩義を思って、
永遠に愛おしい栄光ある死者への、
感謝の涙という供物に私は浸るのだ。

〔『オデュッセイア』第四巻一〇〇～〇三行、ポープ訳による〕

他方、われわれが病気から回復したとき、あるいはわれわれが差し迫った危険から逃れたとき、われわれは嬉しいという気もちをもつだろうか。こうした場合の感覚は、快に対するたしかな見込みが与えてくれる滑らかで感覚的な満足とはほど遠いものである。苦を緩和することによって生じる悦びは、その固く強く厳しい性質の中に、その出自を露呈するのである。

第六節　自己保存に属する情念について

単純な快であれ苦であれ、あるいはそれらを緩和したものであれ、精神に強力な印象を残すことができる観念の大部分は二つの項目、すなわち自己保存（self-preservation）と社交（society）に還元できる。われわれのすべての情念は、どちらかの目的に応えるようにできているのである。自己保存に関係する情念は大部分、苦もしくは危険に依存している。苦、病気、死の観念は、強い恐怖の感情で精神を満たす。しかし、生命と健康は、快の作用を受けられる状態にわれわれを置くにもかかわらず、単純な嬉しさによって強い印象を残すことはない。だから、個人の保存に関係がある情念はすべて苦と危険に依存しており、それらはあらゆる情念の中でもっとも強力なのである。

第七節　崇高について

どんな種類であれ、苦と危険の観念を喚起するものは何でも、すなわち、あらゆる種類の恐ろしいもの、もしくは恐ろしい対象と関係があり、危険と類似した仕方で働きかけるものは何でも、崇高の源泉となる。つまり、それは精神が感じられるもっとも強力な情緒を生み出すのである。もっとも強い情緒と私が言うのは、苦の観念は快を構成する観念よりも強力であると、私が確信しているからである。疑いもなく、われわれに加えられるかもしれない拷問は、もっとも酒色に精通したものが示唆する快や、生き生きとした想像力ともっとも健康で精妙なまでに鋭敏な身体が享受可能な快よりも、身体と精神に対するその影響において大きいのである。いや、あの不幸なフランスの国王殺害者〔ルイ十五世の殺害を企て、公開の場で身体を引き裂かれるという方法で死刑に処せられたロベール・ダミアン〕に正義が数時間にわたって課した責め苦の中で死ぬという代償を払って、もっとも完璧な満足ある人生を勝ち得ようとする者を見出すことができるかどうか、私は大いに疑う。だが、苦が快よりもその作用においてより強いのと同様に、死は一般に苦よりも影響力の強い観念である。なぜなら、どれほど強烈であっても、死の方が好ましいと考えられるような苦はほとんどないからである。いや、苦それ自体をつくり出すもの、こう言ってよければ苦をより苦痛に満ちたものにするものは、言わばこの恐怖の王である死の使者の姿をしているのである。危険や苦があまりに身近に迫ってくると、それらは悦びを与えることはできなくなり、たんなる恐怖となる。しかし、ある一定の距離があり、ある種の緩和を伴うなら、われわれが日々経験しているように、危険と苦は悦びとなりうるし、じっさいになっている。私は以下で、その理由を探求すべく努力するつもりである。

第八節　社交に属する情念について

情念を分類するために私が立てるもうひとつの項目は社交であり、それは二つの種類に分類されうる。ひとつは種の繁殖の目的に応える両性間の社交であり、二つめはより一般的な社交である。われわれは人間や他の動物と交わりをもつし、ある意味では、無生物の世界とさえ交わりをもつとも言える。個体の保存に属している情念は、完全に苦と危険に依存している。繁殖に属している情念は、満足と快にそれらの起源をもっている。この目的にもっとも直接的に属している快は、快活な性格であり、熱狂的で激しく、たしかに感覚にとっての最高の快である。しかし、これほどまでに大きな享楽が欠けていても、ほとんど不快を感じることはない。そして、特定の時期を除けば、私はその影響をほとんど感じないように思われる。人々が苦と危険が作用する仕方を記述するとき、彼らは健康の快や安全の満足について語ったり、その後でそれらの満足の喪失を嘆いたりということはしない。そのすべては、彼らが耐え忍んでいるじっさいの苦痛と恐怖に向けられる。しかし、あなたが失恋した人の嘆きを聞くなら、主としてその人が楽しんだ、あるいは楽しむことを望んだ快について、そして望んだ対象の完璧さについて、力説するのを観察するだろう。彼の心に第一にあるものは喪失なのである。愛によってつくられ、ときに狂気にさえいたる激しい効果は、われわれが立てようとしている法則と矛盾しない。人の想像力がある観念によって長く影響を受けるままにされると、それは想像力をあまりに強く支配する結果、しだいに他の観念を締め出して、それらを収めている精神の仕切りを壊してしまうのである。どんな観念でもこれを引き起こすのに十分であるということは、狂気を引き起こす原因が無限にあることからあきらかである。しかし、このことが証明できるのは、せいぜい愛の情念は異常な結果をもたらしうるということだけであって、異常な情緒が積極的な苦と関係をもっているということではない。

第九節　自己保存に属する情念と性的な社交に関する情念の差異の究極原因

自己保存に関する情念と、種の増殖に向けられる性的な社交に関する情念に違いをもたらす究極原因は、さきに述べたことをさらに説明するだろう。そのことは、それ自体でも説明に値すると思われる。われわれのあらゆる種類の義務の遂行は生命に依存しており、活力と有効性をもってそれができるかどうかは健康に依存しているがゆえに、われわれはそれらを破壊する恐れのあるものからとても強い影響を受ける。しかし、われわれは生命と健康だけに満足するようにはできていないので、それらだけを享受しても本当の快は付随しないが、それはわれわれがそれに満足して、怠惰と無為に身を任せないようにするためである。他方、人間の増殖は大きな目的であり、大きな誘因によって、それを追求することが鼓舞される必要がある。だから、それにはとても大きな快が伴うのである。しかし、人間はそれを恒常的な仕事とするようにはけっしてつくられてはいないので、その快の不在にとても大きな苦が伴うということは都合がよくない。この点における人間と獣の差異は顕著であるように思われる。人間は愛の快に、かなり等しくいつでも心を傾けるが、それは人間がそれに耽る時と仕方が、理性によって導かれるようにつくられているからである。もし、この満足が得られないことから大きな苦が生ずるのであれば、理性はその任務を遂行するにあたって、大きな困難に出会うことになるだろう。獣は遂行にあたって理性がほとんど関与しない法にしたがっているわけだが、その獣たちは定期的な繁殖期をもっている。そのような時期においては、欠如から生じる感覚はとても厄介なものとなる。なぜなら、目的は果たされなければならず、さもなければ、多くの場合おそらく永遠に果たされないに違いないからである。というのも、その欲求は季節的にしか戻ってこないからである。

第一〇節　美について

たんなる繁殖に属しているのは性欲だけである。そのことは獣たちにおいては明白である。獣たちの情念は混じりけがなく、われわれよりも直接的に目的を追求する。相手に関して、彼らが見る唯一の区別は性である。たしかに、彼らはめいめいに他ならぬ自らの種に固執する。しかし、私が思うに、その好みは、彼らが自分たちの種に見出す美の感覚から生じるものではなく、アディソン氏〔ジョゼフ・アディソン、英国の文筆家、一六七二―一七一九〕が想定するように、彼らがしたがっている何らかの法によるのである。そのことは、種の境界線の内部にいる対象に対しては、選択があきらかに存在しないということからも、結論することができる。しかし、多様で複雑な関係に適合している生き物である人間は、この一般的な情念に、ある社交的な性質をもつ観念を結びつけるのだが、それは人間が他のすべての動物と共有している欲求を方向づけ高めるのである。人間は動物たちのように漫然と生活するようにはつくられていないので、嗜好をつくり出すための何かをもち、それによって自分の選択をするのが自然なのである。そして、その何かとは一般に可感的な性質でなければならない。そうでないものが、これほど素早く、力強く、確実にその効果を発揮することはないのである。つまり、われわれが愛と呼ぶこの混合した情念の対象は、性がもつ美なのである。人間は異性に引きつけられる。というのは、それが性というものであり、またそれは自然の一般法則によるのである。しかし、彼らは身体的な美によって個別的な相手に愛着をもつ。私は美を社交的性質と呼ぶが、その理由は、男女だけでなく、他の動物などが、見ることで嬉しさや快の感覚をわれわれに与えるとき（そうしたものはたくさんある）、それらの身体に対する優しさと愛情という感覚が喚起されるということである。それに反対する強い理由がなければ、われわれはそれらを側に置きたいと思い、進んでそれらとある種の関係をもちたいと願う。しかし、多くの場合、どういう目的でそういうふうにできているのかは、私にはわからない。というのも、人間ととても魅力的な外見をもつ動物たちとの関係の中に、そうした魅力をまったく欠いているか、もしくは魅力をわずかしかもっていない動物との関係よりも、強い結びつきをもたらす理由を見つけることができないからである。しかし、何か大きな目的を配慮することなしには、神の摂理はこうした区別はしないであろう。もっとも、われわれにはそれが何かはわからない。神の知恵はわれわれの知恵ではなく、神の方法はわれわれの方法ではないのだから。

第一一節　社交と孤独

社交的情念の第二部門は、社交一般をつかさどるものである。これに関して言うなら、たんなる社交は、とくにそれを引き立てるものがなければ、その楽しみの中で積極的な快を与えることはない。しかし、絶対的で完全な孤独、つまりすべての社交から完全かつ永遠に排除されるということは、ほとんど考えられるかぎり最大の積極的苦痛である。それゆえ、一般的な社交の快と絶対的な孤独の苦のバランスにおいては、苦が優越的な観念なのである。

しかし、個別的な社交の快は、その個別的な楽しさの欠如によってもたらされる不快さを大きく上まわる。だから、個別的な社交に関するもっとも強い感覚は快の感覚なのである。よい仲間、生き生きした会話、友への愛着は、精神を大きな快で満たす。他方、ときどき孤独になることは、それ自体快適である。これは、おそらく、われわれは行動だけでなく思索をもするようにつくられているということを示しているのだろう。というのも、社交と同様、孤独もそれ自体の快をもっているからである。上で述べたことからわかるように、完全に孤独な生活はわれわれ人間の目的に反する。なぜなら、死そのものですら、観念としてそれより恐ろしくはないからである。

第一二節　共感、模倣、野心

こうした名目の社交の下では、情念の種類は複雑であり、大きな社会の連鎖の中でそれらが果たす多様な目的に適合するように、多様に枝分かれしているのである。この連鎖の中の三つの主要な輪は共感（sympathy）、模倣（imitation）、野心（ambition）である。

第一三節　共感

われわれが他の人々の関心事に入り込むのは、これら三つの情念の中の最初のもの、すなわち共感によってである。共感によってわれわれは彼らが感動したように感動するし、人が自ら為しうる、あるいは他人から為されうるほとんどすべての事柄の、無関心な観察者でいることはできないのである。というのは、共感はある種の置き換えと考えられるからである。それによって、われわれは他人の位置に置かれ、多くの点で同じように感じるのである。だから、この情念は、自己保存に関する情念の性質を帯び、苦に基づいた崇高の源泉となるか、もしくは快の観念に依存するかのどちらかの可能性をもつ。その場合、社交的情動に関して言えることはすべて、社交一般に関するものであろうと特定のかたちの社交に関するものであろうと、ここに当てはまるのである。詩、絵画その他の感動的な芸術がある人の胸からべつな人の胸へ情念を注ぎ込み、悲惨、不幸、そして死そのものに悦びを接ぎ木できるのは、主としてこの原理によるのである。現実にはぞっとする対象が、悲劇その他の上演において、とても高次元な種類の快の源になることは一般に観察されている。それは事実として認識されているので、多くの考察がなされる原因となっている。第一に、この満足は、かくも陰鬱な物語がたんなる虚構にすぎないと考えるさいにわれわれが受け取る慰めと、第二に、われわれがそこに表現されているのを見る災禍から自分自身は逃れているという事実を心に思い浮かべることが原因であると、一般に言われている。たんにわれわれの身体の機械的構造、もしくはわれわれの精神の自然な組織と構造に由来する感情の原因が、われわれに提示された対象に関する理性的な能力が導き出す結論にあると考えることは、この種の論考においてあまりにもありがちなことであると私は思う。というのは、われわれの情念をつくり出すにあたって、理性の影響は、一般に信じられているほど広範囲ではないと私は考えるからである。

第一四節　他人の苦痛への共感の効果

悲劇の効果に関するこの点を正しく考察するために、現実に苦痛の下にある同胞の感情によってわれわれがどういう影響を受けるのかということを、前もって考察しなければならない。他人の現実の不幸や苦において、われわれはある程度の悦びをもつと私は確信している。というのも、その情動がどんな見かけであろうと、われわれがその対象を避けたくなる場合でも、逆にそれに近づきたくなる場合でも、それについて思いを巡らしたくなる場合でも、その種の対象を心に描くとき、われわれは何らかの種類の悦びもしくは快を感じるに違いないと思われるからである。われわれは、この種の場面を含む史実に忠実な歴史書を、虚構の出来事であるロマンスや詩と同じ程度の快をもって読むのではないだろうか。どんな帝国の繁栄も、どんな王の壮大さも、マケドニアの国家の滅亡とその不幸な王の苦悩ほど、それを読むさいに快適な感動を与えることはない。歴史中のそのような破局は、寓話の中のトロイの滅亡と同じように、われわれを感動させるのである。この種の場合、われわれの悦びは、受難者が不当な運命の下に沈んでゆく卓越した人物であるとき、とくに大きく高まる。スキピオとカトーはともに有徳な人物である。しかし、われわれは後者の壮絶な死と彼が身を捧げた大義の破滅の方に、前者に相応しい勝利と切れ目のない栄華よりも、深い感動を覚える。というのは、恐怖はそれが身近にないときにはつねに悦びを生み出す情念であり、憐憫は愛と社交的情動から生じるがゆえに快を伴う情念だからである。われわれが自然にうながされて活動的な目的を目指している場合はいつでも、それに対してわれわれを鼓舞する情念は、その対象が何であろうと、悦びもしくは何らかの快が付随しているのである。そして、創造主は共感の絆でわれわれが繋がるように設計したさいに、その絆をそれに比例する悦びで強めたのである。そして、われわれの共感がもっとも必要な場所、つまり他人の苦痛において、それは最大となる。もしこの情念がたんに苦をもたらすものであるなら、われわれは最大限の注意をもって、そのような情念を喚起するすべての人物や場所を避けるはずである。ちょうど、とことん怠惰になってすべての強い印象に耐えられなくなった人間がじっさいにそうするように。しかし、人類の多くの部分にとって、実態は逆である。尋常ならざる不幸な出来事の光景ほど、人々が熱心に見たがる光景はない。だから、その不幸がわれわれの眼前にあるにせよ、歴史の中で振り返って見るにせよ、それはつねに悦びでもって人の心に触れるのである。これは混じり気のない悦びではなく、少なからざる不快感が混じっている。そうした物事にわれわれが感じる悦びのせいで、われわれは不幸な場面を避けることがないのである。そして、自分自身が感じる苦にうながされて、受難者を助けることで自分自身が救われたいと思うようになるのである。そしてこれらはすべて、それ自体の目的をもった本能によって、われわれの同意なしに、あらゆる推論に先立って存在しているのだ。

第一五節　悲劇の効果について

現実の惨禍については以上のようである。模倣された苦痛における唯一の違いは、模倣の効果に由来する快である。それはけっして完全なものとはならないが、われわれはそれが模倣であることがわかるし、その原理によっていくらかの快を得る。そして、じっさい、ある場合においては模倣から実物そのものと同じかそれ以上の快を引き出すのである。しかし、悲劇にわれわれが見出す満足の大きな部分は、悲劇は偽りでありそれが表現するものは事実ではないという理由に基づいていると考えるなら、大きなまちがいを犯すことになるだろう。それが現実に近づくほど、そしてそれが虚構の観念から遠ざかるほど、その力は完全となる。だが、その力がどんな種類のものであれ、それはけっしてそれが表現する対象に近づくことはない。もっとも崇高でもっとも感動的な悲劇を上演する日時を選び、お気に入りの役者を選び、舞台や装飾に費用を惜しまず、詩、絵画、音楽の効果を最大限に融合するとしよう。そして、観客を集め、彼らの精神が期待で高まったまさにそのときに、近隣の広場で重大な国事犯の処刑が執行されるということが報告されたとしよう。そのときたちまち劇場から人がいなくなってしまうという事実が、模倣芸術の比較的な弱さを示し、現実の共感の勝利を宣言するのである。現実にはたんなる苦痛をもたらすだけなのに、表象においては悦びをもつというこの考え方は、われわれがじっさいにはけっしてやらないだろうことと、それがなされる場合には熱心に見たいと思うことを、十分に区別していないことから生じていると思われる。われわれは、そうしたいどころか、それを元に戻してほしいと心から願うような事柄を見て悦びを感じるのである。たとえその危険から十分遠くに離れていたとしても、イギリスとヨーロッパの誇りであるこの高貴な首都ロンドンが、大火災や地震で破壊されるさまを見たいと願うほど奇怪なまでに邪悪な者はいないだろうと私は信じる。しかし、かりにそうした破滅的な出来事が起きたとすれば、世界中からどれほどの数の人々がその廃墟を見るために押し寄せるだろうか。しかもその中には、栄光の中のロンドンを見たことがなくても満足な者が数多くいるはずである。現実の苦痛であろうと虚構の苦痛であろうと、われわれに悦びをもたらすのは、自分はその災難から逃れているという事実ではない。私自身の心の中にはそうしたことは見つからない。このまちがいは、われわれがしばしば欺かれるある種の詭弁のせいなのである。それは、じっさいには一般にある行動をとったり、その行動の対象となったりする場合の必要条件と、特定の行為の原因とを、区別しないことから生じるのである。もしある男が剣で私を殺す場合、その事実の前にわれわれ二人が生きているということは必要条件である。だが、二人が生きているということが彼の罪と私の死の原因だったと言ったなら、それはばかげたことであろう。だから、つぎのことはたしかである。現実であれ想像であれ、他人の受難やその他あらゆる原因から生じるあらゆることに悦びを感じる前に、自分の生命が差し迫った危険から逃れているということが、絶対に必要なのである。しかし、そこから、危険から逃れていることが、こうした場合に私が感じる悦びの原因であると論じるのは詭弁である。思うに、自分自身の心の中に、そのような満足の原因を識別できる者はいないであろう。いや、自分自身は鋭い痛みを被ってはおらず、また生命の差し迫った危機に直面してはいないときこそ、われわれは、自分自身で苦しみを感じながら、他人を思いやることができるのである。そして、しばしばそういうときこそ、苦悩によって心優しくなり、他人の苦痛を見て憐れみを感じ、その苦痛をわが身に引き受けようとするのである。

第一六節　模倣

社交に属する第二の情念は模倣である。あるいは、模倣への欲望とその結果として生まれる快と呼んでもいい。この情念は、共感と同じ原因から生じてくる。というのは、共感が、人が感じるすべてのものに対するわれわれの関心を喚起するのと同様に、この情動は、人が行うことは何でも模倣するようにわれわれを仕向けるからである。そして、結果としてわれわれは模倣に快を感じる。われわれが快を感じるのはたんに模倣そのものからであって、理性的能力の介在によるものではなく、われわれの自然な身体構造から発するものである。われわれの身体構造は、われわれの存在目的に関わるあらゆる場合に、対象の性質に応じて快もしくは悦びを感じるように神の摂理によってつくられているのである。われわれは教訓によってよりもむしろ、模倣によって、あらゆることを学ぶのである。そのようにして学んだものは、より効果的に身につけることができるだけでなく、より楽しく身につけることができる。それによってわれわれの礼儀作法、意見、生活が形成されるのである。それは社会のもっとも強力な紐帯のひとつである。それはある種の相互承諾なのであり、それに対して、あらゆる者が自らに強いることなくしたがい、あらゆる者が非常な心地よさを感じるのである。絵画その他多くの快い芸術は、その力の主要な基礎をそこに置いている。そして、礼儀作法や情念に対する模倣の影響によって、非常に大きな結果がもたらされるわけだから、わたしはここでひとつの規則を定めてみようと思う。その規則があれば、われわれが芸術の力の原因を模倣もしくは模倣者の技量が与えてくれる快だけに見出そうとするとき、また共感とそれに関連するその他の原因に見出そうとするとき、大きな確信をもつことができるだろう。詩や絵画に表現された対象が、現実世界においてわれわれが見たいと思うようなものではない場合、詩や絵画のもつ力は模倣の力によるのであって、事物そのものの中に働いている原因によるのではない。そのことは、静物画と呼ばれる作品のほとんどに当てはまる。静物画に描かれる小屋、積み上げられた堆肥、台所の些細でありふれた道具は、われわれに快を与えることができる。しかし、絵画や詩の対象が、現実にあれば駆けて行ってでも見たいものである場合には、それが与える感じがどんなに奇妙な種類のものであろうと、その詩や絵画の力は事物そのものの力によるのであって、たんなる模倣の効果、もしくは模倣者の技量――それがどんなに卓越したものであろうと――への敬意に由来するものではないということはたしかである。アリストテレスは彼の詩学において、模倣の力について多くの確固としたことをすでに語っているので、この主題についてこれ以上語る必要はないだろう。

第一七節　野心

模倣は人間性を完成に向かわせるために神の摂理によって用いられている偉大な道具のひとつであるが、もし人が模倣に完全に満足し、お互いがお互いにしたがい、永遠の循環の中に留まるならば、人間にどのような改善もありえないであろうことを理解するのはたやすい。人間は獣のように停滞せざるをえないし、最後まで今日の状態で、もしくは世界の始まりにそうだったのと同じ状態で留まらざるをえない。これを防ぐために、神は人間の中に、野心の感覚、もしくは価値があると見なされている事柄において自分が仲間に勝っていると思うことから生じる満足、を植えつけたのである。あらゆる方法で自分を目立たせたいと人に思わせるのはこの情念であり、自分が卓越していると思わせてくれるものすべてをこれほどまでに快適にしてくれるのもこの情念なのである。この情念はとても強いので、ひどく不幸な人間は、自分は最高に不幸であると考えるときに、慰めを感じるほどである。そして、われわれが何か卓越したことで自分を目立たせられないときに、特別な虚弱さや愚かしさなどのさまざまな欠点に、自己満足を見出し始めるというのもたしかなのである。追従がこれほどまでに蔓延しているのは、この原理に基づいている。というのは、追従というものは、人の精神の中に、じっさいには彼が受けていない愛顧の観念をかき立てるからである。さて、根拠のあるなしにかかわらず、自分自身に対する評価を高めてくれるものは何でも、人間精神にとって気もちのよいある種の高揚感と勝利感を生み出すのである。この高揚感は、危険なしに恐ろしい対象と交わりをもつときほど、はっきりと感じられ力強く働くことはない。そのときつねに精神は、自らが思い描く対象がもつ威厳と重々しさを自らの一部と見なすのである。崇高な詩人や雄弁家の一節の読者をつねに満たす栄光と内的偉大さの感覚についてロンギノスが語ったものの起源はそこにある。それは、そうした機会にだれもが自分自身で感じたことがあるはずである。

第一八節　総括

これまでのべたことをいくつかの要点にまとめよう。自己保存に属する情念は苦と危険に依存している。それらの原因が直接われわれに作用するとき、それらは単純に苦痛をもたらす。じっさいにそうした状況に陥ることなく苦と危険の観念をもつとき、それらは悦びをもたらす。私がそれを快と呼ばないのは、それが危険に依存しているからであり、それがどんな積極的快の観念とも非常に異なっているからである。この悦びを喚起するものを私は崇高と呼ぶことにする。自己保存に属する情念は、あらゆる情念の中でもっとも強い。

究極原因との関係で情念が問題となる第二の項目は社交である。社交には二種類ある。ひとつは性的な社交である。これに属する情念は愛と呼ばれる。そこには情欲という混ぜものが含まれ、その対象は女性の美である。もうひとつは人間や他のすべての動物たちとの広い意味での社交である。これに従属する情念も同様に愛と呼ばれるが、しかしそこに情欲は含まれない。そして、その対象は美である。美は愛情や優しさの感覚、もしくはそれらによく似た情念を呼び起こすような物事のすべての性質に私が適用する名前である。愛の情念は積極的快から起こってくる。快から起こってくるすべてのものと同様に、その対象の観念が同時に取り返しのつかない喪失の観念と一緒に生じるとき、それは不安感と混じりあうことがある。この混じりあった快の感覚を私が苦と呼ばないのは、それが快に依存しているからであり、またその原因とそのほとんどの結果の性質において、まったく異なっているからである。

われわれみながもっている社交を求める情念と、対象がもたらす快のためにわれわれが選び取る方向性についで、共感と呼ばれる特殊な情念がこの項目に分類されるが、それは大きな広がりをもっている。この情念の性質は、他人の境遇――彼がどういう状況にあろうと――にわれわれの身を置くことであり、同じような仕方でわれわれに作用するということである。だから、この情念は場合に応じて、快にも苦にも関係するが、第一一節でいくつかの事柄について触れたような制限がある。模倣と愛顧に関しては、これ以上言うべきことはない。

第一九節　結論

われわれの主要な情念のいくつかを分類し組織化することは、以下の論考でわれわれが行おうとする研究に相応しい準備となるだろう。情念の種類は多様で、枝分かれした多様な情念はそれぞれ詳細な考察に値するが、私が言及した情念は現在の目的に関して考察することが必要となる可能性があるものだけである。人間精神を正確に調べれば調べるほど、それを創造した精神の智恵の強力な痕跡を見つけることになる。もし、身体各部の使用に関する論考が創造主への讃歌と見なすことができるなら、精神の器官である情念の使用は、創造主に対する讃美として無駄なものではありえないし、学問と賞讃の高貴で稀有な結合を作り出す一助となるだろう。それはただ無限の知恵を思うことによって、理性的な精神に対して与えられるものである。われわれ自身の中にある正しいもの、よいもの、美しいものの起源を神に見出し、われわれ自身の弱さと不完全性の中にさえ神の力と智恵を発見し、それらをはっきりと見出すときにそれらを讃え、われわれの探求の挫折において神の業の深遠さを礼賛するとき、われわれは焦ることなく探求し、高慢になることなく高揚することができる。こう言っていいなら、神の業を考察することによってわれわれは全能なる神の意図を推し量ることができるのである。精神の高揚こそがわれわれの学問探求の主要な目的であるべきであり、もし何らかのかたちでそうした効果がなければ、それはわれわれにとって役に立つものとはならない。しかし、こうした偉大な目的のほかにも、われわれの情念の基本的な根拠を考察することは、確固としてたしかな原理に基づいてそれらの情念を嗜もうとするすべての者にとって、とても必要なものに思われる。情念一般を知ることだけでは十分ではない。繊細な仕方でそれらを嗜み、かつそれらを嗜むことを目的とした作品を正しく評価するためには、それらがもついくつかの影響力の範囲を正確に知る必要がある。われわれはそれらの多様な作用を追跡し、人間性の中にあって近づきがたく見えるものを、そして「自分の奥底に、言葉を超越して隠れているもの」〔ペルシウス『諷刺詩』第五巻二九行〕を、見抜かねばならない。それがなければ、自分の作品の真実について、ときに混乱した仕方で自己満足してしまうということがありうる。しかし、人は既存の法則にしたがうことはけっしてできないし、自分の説を他人に十分明確に説明することもできないのである。詩人、雄弁家、画家そして人文学のその他の分野の発展に努める人々は、この批評的知識なしに、彼らのいくつかの領域で成功してきたし、これからも成功するであろう。それはちょうど、工人たちが、その機械を支配する原理に関する正確な知識をもたないままつくったり発明したりする多くの機械をもっているのと同様である。理論でまちがっていても実践では正しいということが珍しくないのは私も認めるし、それはそれで結構なことである。人はしばしば感情に基づいて正しく行動するが、あとで考えれば原理的にはまちがっていたということもある。しかし、その種の推論をしないでいることは不可能だし、それが実践に影響を与えるのを妨げることもまた不可能であるのだから、それを正しいものにし、たしかな経験の上にそれを基礎づけるよう努力をするのは意味あることである。芸術家たち自身がもっともたしかな導き手であると期待する者もいるだろう。だが、芸術家たちは創作の実践であまりに忙しかった。哲学者たちはほとんど何もしていないし、した場合であっても、それはほとんど自分の枠組みや体系に引きつけたものであった。そして、いわゆる批評家たちに関して言うなら、彼らは芸術の規則を、たいていの場合まちがった場所に探してきた。彼らはそれを詩、絵画、版画、彫刻、建築に探してきたのである。しかし、芸術は芸術の規則を与えることはできない。思うに、芸術家一般、とくに詩人たちが狭いサークルに閉じこもるのはそうした理由からなのである。彼らは自然ではなく自分たちをお互いに模倣してきたのである。しかも、彼らは忠実なまでに画一的であり、遠く離れた古典古代に忠実であるので、だれが最初に規範を設定したのかほとんどわからなくなっている。批評家たちは彼らに追随しているので、導き手としてはほとんど何もしていない。何かを測るさいに、測る対象そのものを規準にしてしまえば、その判断は当てにならなくなってしまう。芸術の真の規準は各人の力の中にある。自然の中のもっともありふれたもの、ときに些細なものを気安く観察することでわれわれは真実の光を手に入れることができるだろう。この種の探求においては、そうした観察を軽蔑するならば、もっとも偉大な知恵と勤勉といえども、われわれを暗がりに置き去りにし、さらに悪いことには、まちがった光でわれわれを惑わし、欺くのである。探求においては、一度正しい道に乗せるということがもっとも重要である。私は、自分の論述それ自体によってはごくわずかなことしか成し遂げていないと考えている。もし、自分の意見がもたらすものは悪くとも学問の停滞であって、堕落をもたらすことはけっしてないと確信していなければ、私はそれを纏めようとはしなかっただろうし、ましてや公にしようとは思わなかったろう。水はその効能を発揮するためには、攪拌されなければならない。物事の表面を超えて仕事をする者は、たとえ彼自身がまちがっていたとしても、他の人々の道を開くことになるし、自分のまちがいを真実のために役立てる機会さえもてるかもしれないのだ。以下の諸篇において私は、本編で崇高と美の情動そのものを考察したように、それらの情動をわれわれの中に引き起こす原因となるものは何なのかを探求するつもりである。私が読者にお願いしたいのは、この論考の各部分をそれ自体で、他の部分から切り離して判断することは止めていただきたいということである。というのは、私は自説を、気難しい論駁の試練に耐えられるようにではなく、冷静で寛容な検討をお願いせざるをえないようなかたちで書いているということを、わきまえているからである。また、私の書いたものは、あらゆる点で論争に備えたものではなく、穏やかに真理へと入ってゆこうとする人を訪問するのに相応しい装いをしているからである。

第二部

第一節　崇高によって引き起こされる情念について

自然の中の巨大で崇高なものによって引き起こされる情念――とくにその原因がもっとも強力に作用するとき――は、驚愕（astonishment）である。驚愕とは、ある程度の恐怖によって、すべての動きが停止してしまうような魂の状態である。*この場合、精神は対象によって完全に満たされるので、他のことを考えることはできないし、その結果、それ自身を占めている対象について推論することもできない。ここから崇高の偉大な力が生じるのである。それは推論から生じるものではなく、逆にわれわれの推論の機先を制し、抗いがたい力でわれわれを押し流すものなのである。すでに述べたように、驚愕は崇高の最高度の効果である。もっと程度の低い効果としては、賞讃、畏敬、尊敬がある。

*第一部　第三、四、七節。

第二節　恐怖

恐怖（fear）ほど、精神から、行動と推論のすべての力を奪う情念はない。* というのは、恐怖は苦と死に対する不安であるので、じっさいの苦に似かよった仕方で作用するからである。それゆえ、視覚にとって恐ろしいものは何でも――その恐怖の原因の外形が巨大であろうとなかろうと――崇高である。なぜなら、危険かもしれないものを些細であるとか、軽蔑に値するとか見なすことは不可能だからである。けっして大きくはないのに、危険な対象と考えられているという理由で、崇高の観念を喚起する多くの動物がいる。あらゆる種類の蛇と毒をもつ動物である。外形が大きなものに、偶然に恐怖の観念が加われば、それは比類を絶して偉大となるだろう。広大な平地はたしかにそれだけでもなかなかの観念である。その平野の眺望は大海の眺望と同じような広がりをもつかもしれない。だが、大海それ自体のような偉大さで精神を満たすことができるだろうか。それにはいくつかの理由があるが、最大の理由は、大海は少なからぬ恐怖の対象であるということである。じっさい、恐怖は、あからさまにもしくは潜在的に、崇高の支配的原理なのである。いくつかの言葉がこれらの観念の間にある親和性の証拠となる。それらは驚愕や賞讃や恐怖のあり様を示すときに、しばしば同じ言葉を無差別に用いるのである。ギリシャ語の θάμβος は、恐怖もしくは驚きを表す。

δεινος は恐ろしいもしくは尊敬に値するという意味である。αἰδέω は畏怖もしくは恐怖という意味である。ラテン語の vereor はギリシャ語の αἰδέω と同じ意味である。ローマ人は、単純な恐怖と驚愕を表現するために、驚愕した精神を強く表す用語である stupeo という動詞を用いた。attonitus（雷に打たれた）もこれらの観念の関係を同様に示している。また、フランス語の etonnement も、英語の astonishment も amazement も、同じくらい明確に恐怖と驚きに伴う似かよった情緒を指し示しているのではないだろうか。もっと包括的な言語知識をもった人なら、他の数多くの同じように印象的な例を列挙できるであろうことを、私は疑わない。

＊第四部　第三、四、五、六節。

第三節　曖昧さ

どんなものでもそれをとても恐ろしくするためには、一般的に言って、曖昧さ（obscurity）が必要であるように思われる。危険の全範囲を知り、目をそれに慣らせば、不安の大部分は消滅する。危険という点で夜がいかにわれわれの恐怖を増幅するか、あるいは明晰な観念にならない幽霊や悪鬼がいかに精神に作用して、それらの存在に関する民間のおとぎ話を信じる気にさせるかを考えたことのある者はだれでも、そのことに気づくだろう。人々の情念、主として恐怖の情念に基礎を置く専制的な政府は、彼らの長をできるだけ公の目から遠ざける。その方針は、多くの宗教の場合においても同じである。ほとんどすべての異教の寺院は暗い。今日のアメリカの野蛮な寺院においてさえ、彼らは礼拝のために聖なるものとされた小屋の暗い部分に偶像を置いている。ドルイドが森のもっとも暗い深部で、あるいはもっとも古くもっとも枝を広く伸ばした樫の木陰で儀式のすべてを行うのもまた、この目的のためなのである。精神を高揚させる秘訣、あるいはこういう言い方が許されるなら、賢明な曖昧さのもっとも強い光の中に恐ろしい対象を据える秘訣をミルトンほどよく理解している者はいない。第二巻における彼の死の描写は賞讃に価するほどに入念である。いかに陰鬱な壮麗さで、すなわち筆致と色調における意味深く表現的な不たしかさを用いることで、彼が恐怖の王の肖像を完成させたかは、驚くべきことである。

……もうひとつの姿

身体各部、関節、手足といった、
識別できる姿をもたない者を姿と呼べるなら、

あるいは影にしか見えないものを実体と呼べるなら、
（というのもそれはどちらにも見えるのだが）、彼は夜のように立っていた。
十人の復讐神のように獰猛に、地獄のように恐ろしく、
そして、死の槍を振っていた。彼の頭と思しきところには
王冠に似たものが被せられていた。

〔ミルトン『失楽園』第二巻六六六～七三行〕

この描写においては、すべてが暗く、不たしかで、混乱していて、恐ろしく、最高度に崇高である。

第四節　情念に関する明晰さと曖昧さの違いについて

観念を明晰（clear）にすることと、それを想像力に対して強く作用する（affecting）ものにすることはべつである。もし私がある宮殿、寺院、風景のスケッチを描けば、それらの対象の明晰な観念を提示することになる。その場合、（模倣の無視できない効果というものを考慮に入れても）私の絵が与える効果は最大でも、じっさいの宮殿、寺院、風景が与えたであろう効果と等しい。他方、私にできるもっとも生き生きして活力に富んだ言語記述は、そうした対

象のとても曖昧で不完全な観念を喚起することになる。だが、その場合、私は最良の絵画でできるよりももっと強い情緒を、言語記述によって喚起する力をもつのである。この経験はつねに証明されている。ひとつの精神から他の精神へと情動を運ぶ適切な方法は言葉によるものである。他のすべての伝達方法には大きな不完全性がある。情念に作用するのに明晰なイメージが必ず必要であるということはまったくないので、イメージをまったく提示することなく、その目的のために用いられたある音だけによって、情念に大きな作用を与えられるのである。その証拠は、みなが認めている器楽曲の力強い効果の中に見出すことができる。じっさいには、非常に明晰であるということは、情念に対する作用においては大して役に立たないのである。なぜなら、明晰さはあらゆる種類の熱狂に対するある種の敵だからである。

（第四節）　同じ主題のつづき

ホラティウスの詩論の中には、この見解に反対しているように思われる二つの部分がある。それゆえ、さらにはっきりと説明する努力をしようと思う。それはつぎのような部分である。

耳から入ったものは、目の前に忠実におかれたものと比べてそれほど強く心に働きかけない。

〔ホラティウス『詩論』一八〇～八一行〕

これに基づいてデュボス師〔ジャン＝バティスト・デュボス、フランスの歴史家・批評家、一六七〇―一七四二〕は、情念を動かすことに関する論考において、詩よりも絵画が好ましいという批評を打ち立てた。その主たる理由は、絵画が提示する観念の明晰性である。この卓越した判断者がまちがいに迷い込んだのは（それがまちがいならばだが）、自分自身の体系のせいであり、思うに、彼は経験よりも体系にしたがってしまったのである。絵画を賞讃し愛しているにもかかわらず、感動的な詩や修辞作品に熱く感動することに比較したとき、その賞讃の対象である絵画をとても冷淡にとらえるような人たちを私は知っている。一般民衆の間では、絵画が情念に大きく働きかけるということを私は知らない。そうした階級の人たちの間では、最良の種類の詩がそうであるように、最良の絵画はあまり理解されない。しかし、狂信的な説教者、「チェヴィー・チェース」や「森の中の子供たち」といったバラッドその他の俗謡、下層民の間に流行している詩や物語などによって、彼らの情念がかき立てられるのはたしかである。よいものであれ悪いものであれ、絵画がそうした効果をもたらすということを、私は知らない。つまり、曖昧さをもった詩が、他のどんな芸術よりも、情念に対して包括的かつ強力な支配力をもつのである。曖昧な観念が、正しく伝達された場合に、明晰な観念よりも感動的である理由は自然の中にあると私は考えている。われわれのすべての賞讃の原因となり、われわれの情念をいちばんにかき立てるのは、事物に対するわれわれの無知である。知識と経験は、もっとも衝撃的な原因がもたらす効果でさえも矮小なものにしてしまう。無教養な人たちに関してはこのような次第であるが、われわれはみな、自分が知らないことに関しては、無教養な人々と同様なのである。永遠性や無限性は、もっとも感動的な観念のひとつであるが、無限性や永遠性ほどわれわれが理解していないものもない。このミルトンの有名な一節ほど崇高な記述に出会える場所はない。そこで彼は主題に相応しい威厳をもってサタンの肖像を描いている。

……彼は他の者たちの上に、
誇り高くも堂々とした姿と身振りで
塔のように立っていた。彼の姿はそのもともとの輝きを
失ってはおらず、堕ちたとはいえ、
大天使の面影を残していたが、夥しいまでの栄光は

なくなっていた。それはあたかも、
新たに上った太陽が、地平線の霧によって
その光を奪われてしまっているような、あるいは日蝕で隠れた月から
禍をもたらす薄明かりが、
世界の国々の半分に降り注ぎ、変革を恐れる
王たちを当惑させるときのようであった。
〔ミルトン『失楽園』第一巻五八九〜九九行〕

ここには高貴な絵画がある。この詩的絵画は何に存しているのであろうか。それは塔、大天使、霧をとおして昇る太陽、日蝕、王たちの没落、王国の革命のイメージである。精神は、一群の偉大で混乱したイメージ――それは群れをなし混乱しているからこそ効果的である――によって当惑するように仕向けられる。それらを切り離せば偉大さの大部分は失われる。それを繋げることで、まちがいなく明晰さは失われる。詩によって喚起されるイメージはつねに曖昧な種類のものである。一般論としては、詩の効果はけっしてそれが喚起するイメージに帰してしまうことはできないのだが、その点に関しては、後で詳しく説明する。* しかし、絵画は――模倣がもたらす快に関しては考慮しなければならないが――それが表象するイメ

ージによってのみ感動を与えるのである。そして、絵画においてさえ、ある事物を適切に曖昧化することで、その絵の効果を高めることができるのである。なぜなら、絵画におけるイメージは自然におけるそれとてもよく似ているからである。そして、自然においては、暗く混乱した不明確なイメージは、明晰で明確なイメージよりも、壮大な情念をつくり出す大きな力をもって空想に働きかけるのである。だが、いつどのようにしてこの見解が実践に適用できるのか、どの程度それを拡張していいのかということは、与えられうるどんな規則よりも、主題の性質と機会に応じて決定した方がいいだろう。

こうした考え方が反対にあってきたこと、そしてこれからも拒否されるだろうということはわかっている。しかし、考えてほしい。何らかのかたちで無限性に近づかないものは、精神を偉大さで打つことはほとんどできないと。われわれが限界を知りうる場合には、何ごとも精神を偉大さで打つことはできないし、物事をはっきり見るということと、その限界を知るということは、まったく同じである。だから、明晰な観念というのは、小さな観念の別名なのである。『ヨブ記』の中には、驚くほど崇高な一節があるが、その崇高性は記述されている対象の恐るべき不明確さに由来している。「夜の幻が人を惑わし、深い眠りが人を包むころ、恐れとおののきが臨み、わたしの骨はことごとく震えた。風が顔をかすめてゆき、身の毛がよだった。何ものか、立ち止まったが、その姿を見分けることはできなかった。ただ、目の前にひとつの形があり、沈黙があり、声が聞こえた。「人が神より正しくありえようか」〔『ヨブ記』第四章一三〜一七節〕。われわれは最高度の厳粛さをもってこの幻視に向きあう準備をする。情緒の曖昧な原因に立ち入る以前に、われわれは最初に怯える。だが、その恐怖の原因が姿を現すとき、理解不可能な暗闇の影に包まれたそれは何であり、何ではないのか。それはどんな生き生きした記述よりも、あるいは明確な絵画が表現できる何よりも畏怖すべきものであり、衝撃的で、恐ろしい。画家たちがそうした空想的で恐ろしい観念を明確に表象しようとした場合、つねに失敗したと考えられる。そのため、地獄についての絵を見たとき、その絵が滑稽さを狙ったものではなかろうかと思えて、私は困惑してしまったのである。画家の中には、恐ろしい幽霊を、自分たちの想像力が生み出すのと同じくらいたくさん集めることを目論んでこの種の主題をあつかう者もいるが、私がたまたま見た、聖アントニウスの誘惑を主題にした絵におけるすべての目論見は、深刻な情念を生み出すというよりは、むしろ奇妙で途方もないグロテスクなものであった。こうした主題に詩はとても適している。詩の中の幻影、キマイラ、ハルピュイア、寓意的形象たちは壮大で感動的である。ウェルギリウスの「名声」〔『アエネーイス』第四巻一七三行〕やホメロスの「不和」〔『イリアス』第四巻四四〇～四五行〕は、曖昧であるが壮麗な形象である。これらを絵に描いたならば十分明晰なものとなるだろうが、おそらく滑稽なものになってしまうだろう。

＊第五部。

第五節　力

危険の観念を直接的に示唆するもの、機械的な原因によって類似の効果をもたらすもの以外では、何らかのかたちで力（power）が姿を変えたものではないような崇高を私は知らない。崇高のこの部門は、他の二つの部門と同様に、あらゆる崇高なものに共通の源泉である恐怖から自然に生じてくる。力の観念は、一見すると、苦にも快にも等しく属するような、中立なものに見える。しかし、じっさいは、巨大な力の観念から生じる情動は、中立的な性格からはほど遠いのである。というのは、第一に、最高度の苦の観念は、最高度の快の観念よりもずっと強いし、苦の観念の優位性はそれよりも低いあらゆる段階でも変わらないのだということを、われわれは思い出すべきだからである。＊ここから、苦痛と楽しさを得る機会があらゆる点で同じであるなら、つねに苦痛の観念が優越するということが言えるのである。じっさい、苦とりわけ死の観念の影響力はとても強いので、苦もしくは死をもたらしそうな力をもつものを眼前に置いている場合には、恐怖から完全に自由になることは不可能である。また、われわれは経験から、快を楽しむためには大きな努力をして力を発揮する必要はまったくないことを知っている。いや、そうした努力はわれわれの満足を大いに損なうだろうということを知っている。というのは、快は知らぬ間にやってくるものであって、強いられるものではないからである。快は意志にしたがう。それゆえ、われわれは一般に、自分自身よりも劣っている多くのものの力によって、快の効果を得るのである。しかし、われわれが進んで苦に身を任せることはないのだから、苦はつねに何らかの意味でわれわれに優越するものによってもたらされる。だから、強さ、激しさ、苦、恐怖は一緒に精神に侵入してくる観念なのである。並はずれて大きな力をもった人間もしくは動物を見たとき、あなたは反省に先立ってどんな観念をもつだろうか。その力が何らかの意味であなた、あなたの安楽、あなたの快、あなたの利益にとって役立つだろうと考えるだろうか。そうではない。あなたが感じる情緒は、この巨大な力が、略奪と破壊の目的に用いられないことを願うものなのである。**力がもつあらゆる崇高性は、それが通常身に纏っている恐怖に由来することは、それがもつ破壊能力のかなりの部分を剝ぎ取れるとても希な場合に、その力の作用がどうなるかを考えればあきらかになるだろう。もしそうなれば、あらゆる崇高性は失われ、それはすぐに軽蔑すべきものになってしまうだろう。去勢牛（ox）は大きな力をもった生き物である。だが、それは無垢でとても人間の役に立つ生き物であり、まったく危険ではない。そういう理由で去勢牛の観念はまったく壮大ではない。雄牛（bull）もまた大きな力をもつが、その力は別種のものである。それはしばしば破壊的であり、（少なくともわれわれの間では）めったに仕事の手助けにはならない。それゆえ雄牛の観念は偉大であり、崇高な叙述や、人を高揚させる比喩において頻繁に用いられる。われわれが考察可能な二つのべつな観点から、もうひとつの力強い動物を検討してみよう。役に立つ獣という観点から、馬は耕作、交通、運搬に適しており、あらゆる社会的有用性という観点から見れば馬には崇高なところはない。だが、つぎのような場合には、われわれは馬によって心揺さぶられる。「お前は馬に力を与え、その首をたてがみで装うことができるか……そのいななきには恐るべき威力があり……身を震わせ、興奮して地をかき、角笛の音に、じっとしてはいられない」〔『ヨブ記』第三九章一九、二〇、二四節〕。この記述においては、馬の有用性はまったく消え去り、恐怖と崇高がともに燃え立っている。われわれの周囲にはつねに、重々しいが凶暴ではない強力な動物たちが存在している。われわれはそれらに崇高を求めることはない。われわれが崇高を強く感じるのは、昼なお暗い森、荒野に聞く遠吠え、ライオン、虎、豹、サイの姿においてである。力がたんに有用で、われわれの利便と快のために用いられるときには、それが崇高となることはけっしてない。というのは、意志にしたがわない行動は、われわれにとってけっして快適なものではないし、それが意志にしたがうためには、われわれに従属しなければならないし、その場合には壮大で威厳のある概念とはなりえないのである。『ヨブ記』における野生のロバの記述は少なからぬ崇高性を達成しているが、たんにそれが自由を主張し、人間を寄せつけないからであり、そうでなければこうした動物の記述が高貴な性格をもつことはない。「(彼は言う) 誰が野生のろばに自由を与え、野ろばを解き放ってやったのか。その住みかとして荒れ地を与え、ねぐらとして不毛の地を与えたのはわたしだ。彼らは町の雑踏を笑い、追い使う者の呼び声に従うことなく、餌を求めて山々を駆け巡り、緑の草はないかと探す」〔『ヨブ記』第三九章五〜八節〕。同じ『ヨブ記』における野牛とレビヤタンの壮麗な記述は、同様に高揚的な雰囲気で溢れている。「野牛が喜んでお前の僕となり……お前は野牛に綱をつけて畝を行かせ……力が強いといって、頼りにし、仕事を任せることができるか……。お前はレビヤタンを鉤にかけて引き上げ……屈服させることができるか……彼がお前と契約を結び、永久にお前の僕となったりするだろうか……見ただけでも打ちのめされるほどなのだから」〔『ヨブ記』第三九章九、一〇、一一節、第四〇章二五、二八、第四一章一節〕。要約するなら、強さを見出すときはいつでも、そしていかなる観点から力を見ようとも、われわれは恐怖の付随物としての崇高を見ることになるし、力に伴うものが従順で無害なものであるときには、それを軽蔑するのである。犬の種類の中には、かなりの力と敏捷さをもっているものが多くある。そして、自分がもつ力、敏捷さその他の有益な性質を、われわれの便益と快に奉仕するかたちで発揮する。犬はじっさいに獣全体の中でも、もっとも社交的で、愛情深く、愛想がよい。だが、愛は一般に思われているよりもずっと軽蔑に近いのである。したがって、われわれは犬を愛撫するが、相手を非難するさいに、もっとも侮蔑的な言葉を彼らから借りるのである。そして、この犬という呼び名はあらゆる言語において、最高の悪意と軽蔑を表す一般的な符牒なのである。狼はある種の犬に力において劣っている。しかし、彼らの手に負えない獰猛さゆえに、狼の観念は軽蔑すべきものとはなっていないし、彼らは壮大な叙述や比喩から除外されてはいない。こうしてわれわれは、自然な力のもつ強力さによって、心動かされるのである。王や指導者という制度から生じる力は、恐怖と同様の関係をもっている。君主はしばしば「畏怖すべき陛下」(dread majesty)という称号で呼びかけられる。そして、世間慣れしておらず、権力者に近づくことに慣れていない若者が、畏怖の念に打たれて何もできなくなってしまうという事実は、一般に観察されている。「(ヨブは言った)わたしが町の門に出て広場で座に着こうとすると、若者らはわたしを見て静まった」〔『ヨブ記』第二九章七~八節〕。じっさい、力に対する臆病さはとても自然で、われわれの身体構造の内部に強く存在しているものなので、大きな社会の仕事の中でそれに慣れて、自分の生まれながらの気質に小さからぬ無理をかけることなしに、それを克服できる者は希である。畏怖や恐怖は力の観念に付随してはいないという意見の人々がいること、また、畏怖や恐怖の情緒なしに神の観念を思い描くことができるとまで主張する人々がいることは、私も知っている。最初にこの主題を考察したときに、こうした軽い主題の議論における例として、偉大で畏怖すべき神という存在を導入することを私は意図的に避けた。もっとも、この問題に関する私の考えに対する反論ではなく、強い裏づけとして神はしばしば私の頭に浮かんだのではあるが。以下の議論において、人間が厳密な適切さをもって語ることがほとんど不可能な話題を取り上げるが、人間としての分を超えたことは話さないようにしたい。つぎのことは言えよう。神をたんなる悟性の対象として、つまり、われわれの理解の限界をはるかに超えた力、智恵、正義、善の複合観念として考えているかぎり、あるいはわれわれが神性を純化された抽象的観点から考えているかぎり、想像力と情念はほとんどあるいはまったく影響を受けない。しかし、われわれが純粋で知的な観念へと上昇してゆくさいには、人間性の条件によって可感的イメージを媒介とすることを余儀なくされているし、それらのあきらかな行為や力の発揮によってしか神の性質を判断できないのであるから、原因の観念を、われわれがそれを知る手がかりである結果の観念から解き放つことはきわめて難しくなる。こうして、われわれが神を思うとき、神の属性と神の御業が精神の中で結合することで可感的なイメージが形成され、われわれの想像力に働きかけることが可能となる。こうして、神の正しい観念においてはどのような属性も優越することはないのだろうが、われわれの想像力にとっては、その力が飛びぬけて顕著なものとなるのである。少しの反省、少しの比較だけが、神の知恵、神の正義、神の善性を納得するために必要である。神の力を感じるために必要なのは、目を開けることだけである。しかし、われわれが、言わば全能の神の手の下で、あらゆる面で神の全能性を帯びている、かくも巨大な対象に思いをはせるとき、われわれは人間性の小ささの中で萎縮し、ある意味で神の前で打ち砕かれるのである。神の他の属性を考えることで、われわれの不安は、いくらかは取り除かれるであろうが、神の力の行使に伴う正義やそれを和らげる慈悲をいくら確信しても、何によっても抗うことのできない力から自然に生じる恐怖を完全に取り除くことはできない。われわれが嬉しく思う場合でも、畏怖で震えながら嬉しく思うのである。神の恩恵を受け取る場合でさえも、かくも重要な恩恵を授けることができる力に対して身震いするのである。預言者ダビデは、人間の営みに見られる知恵と力の驚異に思いをはせたとき、ある種の神の恐怖に打たれたように思われる。そして彼は叫んだ。「わたしは恐ろしい力によって、驚くべきものに造り上げられている」〔『詩編』第一三九章一四節〕。ある異教の詩人は似かよった性質の感情をもっている。ホラティウスは、宇宙という巨大で栄光ある建築物を恐怖と驚愕なしで見ることは、哲学的に強靭な最高の努力であると考えている。

太陽、星たち、季節が
決められたときに、過ぎ去ってゆくことを
いささかの畏怖も感じないで、眺める者もいるのだ。

〔ホラティウス『書簡詩』第一巻第六歌三〜五行〕

ルクレティウスは迷信的な恐怖に身を任せた詩人ではないかと疑われている。しかし、自然の全機構が彼の哲学の師〔エピキュロス〕によってあきらかにされたと彼が考えたとき、大胆で生き生きした色彩の詩に表現された壮麗な展望に対する彼の恍惚は、密やかな畏怖と恐怖の影を帯びているのである。

これらの事柄について、神々しい喜びと恐怖に
私はとらえられる。というのも、あなたの力によって、自然が
あらゆる部分にいたるまで、あきらかにされたからである。

〔ルクレティウス『事物の本性について』第三巻二八〜三〇行〕

しかし、この主題に相応しい観念を提供するのは、ただ聖書のみである。聖書においては、現れ語る神が表現される場合はいつでも、自然におけるあらゆる恐ろしいものが、神の現前の恐怖と荘厳さを高めるために、呼び出される。『詩編』と『預言書』は、この種の例をたくさん含んでいる。「(詩編作家は言う)地は震え、天は雨を滴らせた……神の御前に」〔『詩編』第六八章九節〕。注目すべきは、こうした描写には、悪しきものに復讐をするために神が降臨するときだけでなく、人間に恩恵を与えるために同じように大いなる力を発揮するときにも、同様の性格が保持されているということである。「地よ、身もだえせよ、主なる方の御前に、ヤコブの神の御前に、岩を水のみなぎるところとし、硬い岩を水の溢れる泉とする方の御前

に」〔『詩編』第一一四章七～八節〕。われわれの神の観念と、神聖で敬虔なる畏怖の不可分の結合に関する、人類の普遍的な感情を証拠づける記述は、神聖な作家と瀆神的な作家の両方から、かぎりなく引用することができるだろう。ここから「恐怖が地上で最初の神を創った」〔スタティウス『テーバイド』第三巻六〇一行〕というありふれた格言が出てくるのである。私の信じるところでは、この格言は宗教の起源に関する説明としてはまちがっている。この格言の作者はこの二つの観念がいかに分かち難いかを理解しているが、偉大なる力の概念がそれに対する恐れにつねに先立つことを考えていない。しかし、この恐れは、そうした力の観念がひとたび精神の中で喚起されれば、その力の観念にかならずや引きつづいて起こるのである。真の宗教が多くの健全な恐怖をその中に含んでいて、偽りの宗教が一般に自らを維持するための恐怖しか含んでいないのは、この原理によるのである。キリスト教が神の観念をいわば人間化し、いく分われわれの身近に引き寄せる以前には、神の愛について語られることはほとんどなかった。プラトンの追随者たちはそれをいくらかはもっていたが、しかし、大してもっていたわけではない。その他の古代の異教の作家たちは、詩人であれ哲学者であれ、それを、まったくもってはいなかった。どれほどのかぎりない注意力によって、どれほどまでに壊れゆくものを軽蔑することによって、またどれほどまでの長い敬虔な習慣と瞑想をとおして、人は神への全面的な愛と献身を身につけうるのかということを考察する者は、神の愛が神の観念から生じる最初の、もっとも自然でもっとも強い効果ではないのだと気づくであろう。こうしてわれわれは、いくつかの段階をとおして、われわれの想像力が無力となってしまう最高のものへと力を辿ってきた。そして、力の不可分の伴侶であり、力とともに大きくなるものとしての恐怖を、われわれが辿れるかぎりのすべての行程において見出してきた。さて、力は疑いなく崇高の主要な源泉であるのだから、それは崇高のエネルギーが由来するところを、そして崇高がどのような種類の観念と結びつくのかということを、あきらかにしてくれるだろう。

＊第一部第七節。　＊＊第三部第二一節。

第六節　欠如

すべての全面的な欠如（privation）——虚空、暗闇、孤独、静寂——は偉大である。なぜならば、それらは恐ろしいからである。判断力の厳しさをもちながらも、いかなる想像力の火をもってウェルギリウスは、すべての恐るべき荘厳なイメージが結合されるべきと彼がわきまえていたあらゆる状況を、地獄の入口において集積したのか。そこで偉大な深淵の秘密の鍵を開ける前に、彼は宗教的な恐怖にとらえられ、自分の構想の大胆さに驚愕して尻込みしているように見える。

汝ら、地底の世界の神々よ。通り過ぎる幽霊も、
沈黙する影も、汝らの恐ろしき支配にしたがう。
白髪の深遠よ。深遠なる冥界の火の川よ。
汝らの荘厳な帝国は、あたりに大きく広がっている。
地獄の深遠の場面と脅威について語るために、
汝らの偉大で恐るべき力を私に与えよ。
この暗闇の黒い国から、日のあたる場所に
開陳するために、汝らの大いなる秘密を私に明かしてくれ。
〔ウェルギリウス『アエネーイス』第六巻二六四〜六七行、クリストファー・ピット訳による〕

彼らは荒涼とした死者の国を通る、荒涼とした
影の中を抜けて、茫漠と進んでいった。

〔ウェルギリウス『アエネーイス』第六巻二六八～六九行、ドライデン訳による〕

第七節　広大さ

広がりにおける巨大さは、崇高の強力な原因のひとつである。このことは、あまりにも明白で、あまりにもありふれた見解であるので、説明は要らないだろう。だが、どのように広がりの巨大さ、延長や量の莫大さがもっとも強力な効果を生むのかという点に関する考察は、ありふれたものではない。というのは、同じ量の延長でも、他よりも大きな効果を生み出す方法や様式が、たしかに存在するからである。延長とは長さ、高さもしくは深さである。その中でも、長さはもっとも効果が低い。百ヤードの平地は百ヤードの塔や同じ高さの岩や山と同様の効果をもたらすことはないであろう。同様に私は、高さは深さよりも壮大な効果において劣っているし、絶壁から見下ろす方が、同じ高さの対象を見上げるよりも人の心を強く打つと考えたい気がするが、その点についてはそれほどたしかではない。垂直面は傾斜面よりも崇高を生み出す力が強い。ごつごつして起伏のある表面は、滑らかで磨かれた表面よりも強い効果をもつ。これを論じつづけると、道を外れて、そうした見え方の原因論に踏み込んでしまうことになるだろう。だが、それが大きく実り豊かな探求の領域を提供してくれることはたしかである。しかし、大きさに関するこれらの意見に、以下のことをつけ加えることは場ちがいではないだろう。つまり、極端に大きな広がりが崇高であるのと同様に、極端な小ささもまた、ある程度は崇高なのである。事物の無限の分割可能性を考えるとき、感覚による細微な調査をも逃れてしまうほど極端に小さく、それでもなお有機体であるような存在に至るまで動物の生命を追求するとき、そして発見をさらに小さいレベルに落としてゆき、さらにずっと小さな生命を考察し、それを辿ることで感覚だけでなく想像力も無効になってしまうとき、われわれは微小さの驚異に驚愕し困惑する。そして、われわれは、極端な小ささがもたらす効果と巨大さそのものの効果を区別できないのである。なぜなら、分割は付加と同様に切りがないに違いないからである。というのは、それ以上付加できない完全な全体を考えることができないのと同様に、分割不可能な完全な統一体を考えることもできないからである。

第八節　無限

崇高のもうひとつの源泉は無限(infinity)である(それが前章であつかった広大さに含まれないかぎりであるが)。無限は精神を、崇高のもっとも真正なる効果であり真の試金石でもある、悦びに満ちた恐怖で満たす。本当に、その性質上無限なもので、われわれの感覚の対象になるものはほとんどない。しかし、目が多くの事物の境界線を知覚することができない場合、それらは無限のように見えるし、それらがあたかも無限であるのと同様な効果をもたらす。大きな対象の部分が際限なくつづいている場合は、想像力が好きなだけ拡大してゆくのを妨ぐための押さえがないので、われわれは同様に欺かれてしまう。

　同じ観念が頻繁に反復されるときはいつでも、精神はある種のメカニズムによって、最初の原因が働きを止めた後でも、ずっとそれを反復する。* くるくる回転した後、椅子に腰かけると、周囲の事物は依然として回転しつづけているように見える。滝や鍛冶屋のハンマーのような長く継続する騒音を聞いた後は、それらの音の最初の作用が終わったずっと後まで、ハンマーの打音や滝の音が想像力の中で鳴りつづける。そして、それらが終わるときも、ほとんど気がつかないほど少しずつ鳴り止むのである。まっすぐな棒を手にもって、目を一方の先端に当てれば、それは信じられないくらい長く延びて見える。** 棒の上に均一で等距離のしるしをつければ、それらは同じ欺瞞の効果を発揮して、際限なく増えて行くように見えるだろう。ある仕方で強い作用を受けた感覚は、急にその進路を変えたり、べつな事物に順応したりすることはできず、最初の起動原因の力が衰えるまで、同じ行路を進みつづけるのでである。このことが、狂人において非常にしばしば見られる現象の原因である。彼らは数日数夜、ときには数年にわたって同じ言葉、同じ嘆き、同じ歌をつねにくり返す。それは錯乱の最初の時点で彼らの乱れた想像力に強い衝撃を与えたので、くり返すたびにそれは新たな力を得るのである。そして、理性によって抑制されない彼らの想像力の騒乱は、人生の終わりまでつづくのである。

＊第四部第一二節。　＊＊第四部第一四節。

第九節　連続性と画一性

部分の連続性（succession）と画一性（uniformity）は人工的な無限を構成するものである。（一）連続においては、部分が十分に長く一定方向につづき、感覚に対して頻繁に与える刺激によって、それらがじっさいの限界を超えてつづくような観念を想像力に印象づけることが必要である。（二）画一性が必要なのは、もし部分のかたちが変わってしまえば、そのたびに想像力が抑制されてしまうからである。変化が起こるたびにひとつの観念が終わってしまい、べつな観念が始まる。そのため、限界をもつ対象に無限の印象を刻印する唯一の手段である、中断することのない進行が不可能となってしまうのである。[*] 思うに、丸天井の建物がとても高貴な印象を与える理由は、この種の人工的無限性に求められるべきなのである。なぜなら、丸天井の建物では——それが建物であろうと植物園であろうと——どこにも境線を固定することができないからである。どちらを向いても同じ対象がいつまでもつづくように思われ、想像力は休まることがない。しかし、この形状が最大の力を発揮するためには、円環状の配置だけでなく部分が画一的であることが必要である。なぜなら、配置や形状や色彩におけるいかなる変化も、無限の観念を大きく損なうことになるからである。変化のたびに新しい連続が始まってしまうわけだから、あらゆる変化は無限の観念を抑制し妨げるに違いないのである。連続性と画一性の同じ原理に基づいて、古代の異教の寺院の壮大な外観——それは一般に楕円形であり、各側面に画一的な柱が並んでいる——も、かんたんに説明できる。わが国の多くの古い大聖堂における翼廊の壮大な効果も、同じ理由による。多くの教会で用いられている十字の形状は、古代人の平行四辺形のそれと同様、適切なものとは思われない。少なくとも、外観に関しては適切ではないと思われる。なぜなら、十字の腕の部分のかたちがあらゆる点で等しいとして、いずれかの側の壁、列柱に対して平行に立った場合、建物の大きさをじっさいよりも大きく見せる錯覚に陥るどころか、じっさいの大部分（三分の二）を見えなくしてしまう。そして、十字の腕の部分が新しい方向を取り、梁と直角をなすと、想像力が先立つ観念を反復することができないので、進行の可能性が妨げられてしまう結果となる。あるいは、観察者がそうした建物を正面から見るということを想定してみよう。何が結果として起こるであろうか。その必然的な結果として、十字の上の部分の交差でつくられるそれぞれの突出部の基礎部分の大方が不可避的に失われてしまう。全体はもちろん切れ切れで関係性のないかたちになってしまう。光も不均等で、ここは明るいがあそこは暗いということになり、直線上に切れ目なく配置された部分に対して遠近法がつねに作用するあの高貴な明暗の漸次的移行は失われてしまう。この反対論の一部もしくは全部は、あなた方がそれに対してどういう立場を取っていようと、あらゆる十字架型の建築物に向けられている。私が例に挙げたのは、欠点がもっともあきらかなギリシャの十字架型建築物であるが、それらの欠点はあらゆる種類の十字架型建築物に、ある程度見られるものなのである。じっさい、角が多いということほど建築物の壮大さを損なうものはない。この多く見受けられる欠点は、多様性に対する過度の渇望に由来するものであり、それが幅を利かすときはいつでも、真の趣味に対してほとんど寄与することはない。

＊アディソン氏は、想像力の快に関する『スペクテイター』誌〔第四一五号〕の記事で、その理由は、丸天井の建物では一目で建物の半分を見るからであると考えている。私にはそれが本当の理

由とは思われない。

第一〇節　建築物の大きさについて

建築物の崇高にとって、容積の大きさは不可欠であるように思われる。というのは、わずかな部分、しかも小さな部分、に基づいて想像力が無限の観念へと飛翔することはできないからである。様式におけるどんな偉大さも、適切な容積の欠如を補うことはできない。この法則によって人が法外な設計へと陥る危険は存在しない。それには適切な警告が伴っているのである。というのは、建物の幅があまりに広いと、それが増進しようと目論んだ偉大さという目的を破壊してしまうからである。遠くから見た場合、幅が広がった分だけ高さが減じられ、ついにはそれが点になってしまい、そのかたち全体がある種の三角形――およそ目に見えるあらゆる形状の中でもっとも貧弱なもの――になってしまう。私は、適切な長さの列柱や並木道は、それらが長大な距離まで引き延ばされたときよりも、比較にならないほど壮大になるということをいつも観察してきた。真の芸術家は効果的に観察者を欺き、かんたんな方法で高貴な計画を実現する。容積だけが巨大な設計はつねにありふれて低次元な想像力のしるしである。芸術作品は欺くことなしに偉大とはなれない。そうでないのは自然だけがもつ特権である。すぐれた目は過度な幅や高さ（どちらにも同様の批判が当てはまりうる）と短く断続的な量との中間を探り当てるのである。もし、私の目的が何か特定の芸術の細部にまで降りて行くことであったなら、おそらくかなりの程度まで正確なことが言えたであろう。

第一一節　快適な対象における無限

無限は、べつな種類ではあるが、崇高なイメージにおける悦びだけでなく、快適なイメージにおける快の多くをもたらす。春はもっとも快い季節である。ほとんどの動物の子供たちは、完全な姿にほど遠いとしても、成長した動物よりも快適な感覚を与える。というのは、より以上のものへの見込みによって想像力に楽しみが与えられ、現在の感覚の対象にしたがうことがないからである。未完の絵画のスケッチの中に、私はしばしば完成された最良の絵画以上に私を楽しませるものを見出す。そのことは、今私が挙げた理由から来ると思われる。

第一二節　困難さ

偉大さのもうひとつの源泉は困難さ（difficulty）である。ある仕事が、それを成し遂げるのに膨大な力と労力を要するとき、その観念は壮大である。ストーンヘンジがわれわれの賞讃を呼び起こすのは、その配置や装飾のためではなく、立てられお互いに積み重ねられた巨大で武骨な石の塊が、そのような仕事に必要であった膨大な力へと、われわれの精神を向けるからである。いや、技芸や工夫の観念が排除されるので、その仕事が武骨であることこそが壮大さの原因を増幅する。なぜなら、巧妙さは、これとはまったく異なった種類の効果を生み出すからである。

第一三節　壮麗さ

壮麗さ（magnificence）も同様に崇高の源泉のひとつである。それ自体が立派で価値あるものがとても豊富にあることが壮麗である。星たちが輝く天空は、しばしばわれわれの目に入るものではあるが、壮大の観念を喚起せずにはおかない。それは、個別的に考えられた星のもつ何かが原因なのではない。数がその原因であることはたしかである。見かけ上の無秩序は、壮大さを増幅する。というのは、配慮が見えるということは壮麗の観念に大きく対立するからである。その上、星空は大いに混乱して見えるので、通常それらを数えるということは不可能である。そのことが、星たちにある種の無限という有利さを与える。芸術作品においては、数に依存するこの種の壮大さは、よくよく注意して導入されなければならない。とというのは、卓越した事物を数多く集めることは不可能か、もしくはあまりに難しいからである。また、多くの場合、この華麗なる混乱は、ほとんどの芸術作品に大いなる配慮をもって奉仕すべき有用性をすべて破壊してしまうからである。さらに、もし無秩序によって無限の見せかけをつくり出すことができなければ、壮麗さのないただの無秩序をつくってしまうのだということも考慮されねばならない。しかしながら、この方法で本当に成功し、本当に壮大となったある種の花火その他のものは存在する。イメージの豊かさと夥しさにその崇高性を負っている詩人や雄弁家の多くの記述もまた存在する。そうしたさいには、精神はあまりに幻惑されるので、その他の場合に要求される正確な一貫性や引喩の整合性などに注意を払うことができなくなってしまう。ヘンリー四世の芝居の中の王の軍隊の描写ほど、これに当てはまる衝撃的な記述を私は今思いつくことはできない。

みんな兵士の恰好で武装している。
風に乗ったダチョウのような羽飾りをつけ、
水浴びをしたばかりの鷲のように休んでいる。
五月のように生気にあふれ、

夏の太陽のようにきらびやかだ。
若い山羊のように元気で、若い雄牛のように荒々しい。
甲冑の顎当てをつけたハリー王子を見たが、
羽飾りをつけたマーキュリーが地上に現れたようだ。
楽々と馬に乗る姿は、
あたかも天使が雲から降りてきて、
火のようなペガサスを乗りこなすかのようだった。

〔シェイクスピア『ヘンリー四世』第四幕第一場九七〜一〇九行〕

その文の凝縮性と透徹性だけでなく、生き生きした描写でも有名な卓越した書物『シラ書（集会の書）』の中で、オニアスの息子で高僧のシモンに対する賛辞がある。これはわれわれの論点のすばらしい一例となっている。

主の家の垂れ幕を出てくる姿は、なんと栄光に満ちていたことか。彼は、雲間に輝く明けの明星、祭りのときの満月、いと高き方の聖所に輝く太陽、きらめく雲に照り映える虹のようだ。春先のバラの花、泉のほとりの百合、夏の日のレバノンの若草のようだ。香炉にくべられた乳香、金を打ち延べ、あらゆる宝石をちりばめた器のようだ。豊かに実るオリーブの木、雲にそびえる糸杉のようだ。彼が輝かしい衣をまとい、華麗な衣装に身を包み、聖なる祭壇に登ると、聖所の境内は輝いた。彼が祭司たちの手からいけにえを受け取り、祭壇の炉の傍らに立つと、その周りを兄弟たちが冠のように囲んだ。それはあたかも、レバノンの若杉が、しゅろの木に囲まれているようであった。アロンの子らも皆、輝かしく装い、主への供え物を両手に捧げ……。

〔『シラ書（集会の書）』第五〇章五～一三節〕

第一四節　光

偉大さの観念を喚起するかぎりにおいての延長を考察したので、色彩がつぎの考察対象となる。すべての色彩は光に依存している。だから、光とその反対物である暗闇を前もって考察しなければならない。光に関して言うと、光が崇高をつくり出す原因となるためには、たんに事物を照らし出す機能以外に、ある状況が付随しなければならない。たんなる光はあまりにありふれていて、精神に強い印象を与えないし、強い印象なしには何ものも崇高にはなりえない。だが、直接に目に当たる太陽光のような、感覚を圧倒する光は、とても偉大な観念である。太陽よりも弱い光であっても、それが恐ろしく速いものであれば、同様の力をもつ。というのは、稲妻はたしかに壮大さを生み出すが、それは主としてその動きの極端な速さに由来するからである。光から闇へ、闇から光へという素早い移り変わりは、さらに大きな効果をもつ。しかし、暗闇は光よりももっと崇高な観念を生み出す。われらの偉大な詩人ミルトンは、このことを確信していた。そして、彼はこの観念に満たされ、よく制御された暗闇の力に完全にとりつかれていたので、彼が主題の壮大さに応じてまき散らした豊富で壮麗なイメージの中で神の姿を描くとき、すべての存在の中でもっともとらえがたい者を取り巻く曖昧さをけっして忘れることはなかった。

……彼の玉座は荘厳なる
暗闇に取り巻かれていた。

〔ミルトン『失楽園』第二巻二六六〜六七行〕

これに劣らず目覚ましいのは、ミルトンが神の存在から流れ出る光と栄光を記述し、こうした暗闇の観念から遠く離れているように見えるときでさえ、その観念を保持する秘訣を心得ていて、その光を過剰によってある種の暗闇に変えてしまうということである。

過度の光による暗闇の中に、汝は裳裾をあらわす。〔ミルトン『失楽園』第三巻三八〇行〕

ここにあるのは、最高度に詩的なだけでなく、厳密かつ哲学的に正しい観念である。過剰な光は視覚の器官を圧倒し、対象を消し去ってしまうので、その効果において、まさに暗闇に似ているのである。しばし太陽を眺めた後では、それが残した印象である二つの黒点が目の前で踊るように見える。こうして、想像しうるかぎり正反対の観念が、その両極端において合致するのである。両者はその正反対の性質にもかかわらず、崇高を生み出すという点で一致するのである。これは崇高を生み出す点で両極端が同様に働く唯一の例ではない。崇高はあらゆる点で、中庸を嫌うのである。

第一五節　建築物の中の光

光の操作は建築術において重要な問題であるので、この見解がどの程度建築物に適用可能なのかを検討することには意味があるだろう。私は、崇高の観念を生み出すことを目論むすべての大建築物は、つぎの二つの理由から、暗く陰鬱であるべきと考える。第一に、暗闇は経験上、情念に対して光よりもあらゆる場合に大きな作用をおよぼすということが知られている。第二に、ある対象を衝撃的なものにするためには、それをわれわれが直前まで慣れ親しんでいた対象とできるだけ違ったものにすべきである。建物に入るときに、屋外の光よりも明るいところに入って行くことはありえないし、少しだけ明るさが不足している場所に入るのも、些細な変化でしかない。その経過を本当に衝撃的なものにするためには、最高に明るい場所から、建物の有用性を損なわない程度に、できるだけ暗いところへ入って行くようにすべきである。夜にはこの規則と逆のことが当てはまるが、それは同じ理由からである。部屋が明るく照らされていればいるほど、情念は壮大なものとなるだろう。

第一六節　崇高を生み出すものとしての色彩

色彩の中でも、柔らかな色彩と快活な色彩（おそらく快活な強烈な赤を除くが）は、壮大なイメージを作り出すのには不向きである。輝く緑の芝生で覆われた巨大な山は、暗く陰鬱な山に比べれば、その点では無に等しい。曇った空は青い空よりも壮大である。夜は昼よりも崇高で厳粛である。それゆえ、歴史画においては、華やかでけばけばしい掛け布は、けっしてよい効果を生み出さない。最高度の崇高を目指す場合、建物の素材や装飾は、白色、緑色、黄色、青色、淡い赤色、すみれ色、まだら模様であってはならず、黒色、茶色、深紫色といった陰鬱で暗い色であるべきである。塗金、モザイク、絵画、彫刻は、崇高に貢献することはほとんどない。もっとも、衝撃的な崇高を一様に、しかもあらゆる細部において創造する場合を除いて、この規則を適用する必要はない。その理由として、つぎのことを述べておかなければならない。たしかに最高度のものではあるが、この憂鬱な種類の偉大さは、あらゆる種類の大建築物において企画されるべきではないし、とくに、壮大さまでもを目論む場合にはそうである。そうした場合には、べつな源泉からも崇高を引き出さなければならないが、明るく陽気なものが入り込まないように細心の注意を払う必要がある。なぜなら、明るく陽気なものほど崇高な味わいを殺いでしまうものはないからである。

第一七節　音と音量

目だけが崇高な情念を生み出す感覚器官ではない。他の情念と同様、音も崇高において大きな力をもっている。私は言葉のことを言っているのではない。というのは、言葉はたんなる音によって作用するのではなく、まったく違った手段で感情に働きかけるからである。過剰な大音量だけが、魂を圧倒し、その動きを停止させ、それを恐怖で満たすことができる。巨大な瀑布、荒れ狂う嵐、雷、大砲の騒音は、それらの音楽の中に工夫や技巧を見出すことはできないにもかかわらず、精神の中に偉大で畏怖すべき感情を喚起する。群衆の叫び声は同様の効果をもつ。それはたんなる音の強さだけで想像力を当惑させ混乱させるので、そうした精神の驚愕と騒乱の中では、どんなに落ちついた気質の人物でさえ圧倒されてしまい、集団の一致した叫びやその決断に同調せずにいることはほとんどできなくなってしまうのである。

第一八節　唐突さ

大きな音量をもった音が突然始まる、もしくは突然止むことは、同様の力をもつ。それによって注意力が喚起され、いわば精神機能が身構えることを余儀なくさせられるのである。目に見えるものや耳に聞えるものにおいて、極端から極端への移行を和らげる効果をもつものは何であれ、恐怖の原因とはならず、結果として偉大さの原因とはならない。急激で予想外のあらゆる事柄において、われわれは驚く。つまり、危険を知覚し、われわれの本性はそれに対して防御せよと命じる。たとえ持続が短いものであっても、かなりの強さをもつひとつの音は、一定の間を開けてくり返される場合、壮大な効果をもつ。夜の静けさによって注意が散らされることがないときに、時を打つ時計の音ほど畏怖すべきものはほとんどない。同じことは、間隔をおいて打たれる太鼓の音、遠くでつづけて撃たれる大砲の音についても言える。本節で述べられた効果は、ほとんど同じ原因をもっている。

第一九節　中断

いくつかの点で、上で述べたことと矛盾するようであるが、低く震えるような断続音もまた、崇高を生み出す。このことは、少し考察するに値する。この事実自体は、各々が自分の経験に照らして考察すれば、はっきりしたものとなる。他の何よりも夜がわれわれの恐怖を増幅するということはすでに述べた。[*] 何が起こるか分からないときに最悪を恐れることは、人間の本性である。だから、不たしかさはとても恐ろしいので、われわれは多少の危険を冒してもそれを取り除こうとするのである。低く、混乱した、不明瞭な音は、その原因に関して恐ろしい不安をもたらすが、それは光の欠如もしくはぼんやりした光がわれわれを取り巻く対象に関して不安をもたらすのと同様である。

移り気な月の不吉な光の中で、
森の中の小道を抜けるように……
〔ウェルギリウス『アエネーイス』第六巻二七〇～七一行〕

……今まさに消えようとするランプのように、
あるいは曇った夜に包まれた月のように、
不たしかな光のおぼろな影が、
恐れと大きな恐怖の中で歩みを進める彼の前に姿を現した。
〔スペンサー『妖精女王』第二巻第七篇二九行〕

しかし、今現れたかと思うと消えて行く光、点いたり消えたりする光は、完全な暗闇よりも恐ろしい。ある種の正体がわからない音も、必然的な条件が伴えば、完全な静寂よりも人を驚かせるものとなる。
＊第三節。

第二〇節　動物の叫び声

人間の自然で不明瞭な声や、苦痛や危険の中にある動物の声を模倣した音は、それがよく知っておりなおかつ日ごろ軽蔑をもって見ている動物の声でなければ、偉大な観念を伝達することができる。野生の獣の怒りの声は、同様に偉大で恐ろしい感覚をもたらすことがある。

そこから、鎖と格闘し、夜遅くまで呻っている
ライオンの怒りとほえる声が、
毛を逆立てた猪や檻に入れられた熊が怒り狂う声が、
巨大な狼の姿をした獣の遠吠えの声が、聞こえた。

〔ウェルギリウス『アエネーイス』第七巻一五〜一八行〕

これらの音の抑揚は、それが表現する事物の性質と何らかの関係をもっており、たんに恣意的なものではないように思われる。すべての動物の自然な叫びは、われわれの知らない動物であっても、かならずそれ自体で意味を伝えるのであるが、言語の場合はそうではない。崇高を生み出す声の抑揚は、ほとんど無限である。それがどのような原理に基づいているかを

示すために私が触れた例は、その中のごく一部である。

第二一節　臭いと味——苦みと悪臭

臭いと味も偉大さの観念といくらか関係をもっているが、その関係は小さく、性質としても弱いものであり、その働きも限定されている。つぎのことだけを言っておこう。つまり、過度の苦みと耐えがたい悪臭以外には、どんな臭いもどんな味も、壮大な感覚を生み出すことはできないのである。たしかに、これらの臭いと味の影響は、それらが最高度であり、かつ感覚器官に直接襲いかかるときには、単純に苦であってそこに悦びは付随しない。だが、それらが描写や物語における場合のように緩和されるならば、他の場合と同様に、緩和された苦という原理に基づいて、崇高の本当の源泉になりうるのである。「苦い杯」、苦い「運命の杯」を飲み干す、「ソドム」の苦いリンゴ、といったように。これらはみな、崇高な記述に適した観念である。アルブネアの蒸気の悪臭が、預言の森の聖なる恐怖と陰鬱さと相俟って、大きな効果をあげているウェルギリウスの一節には、崇高性が存在している。

しかし、この異変に心動かされた王は、

彼の祖先で預言者のファヌスの神託を求め、
聖なる泉に木霊を返し、暗闇の中で死に至る瘴気を放つ
アルブネアの森の下の神の森に祈願する。

〔ウェルギリウス『アエネーイス』第七巻八一〜八四行〕

同じ『アエネーイス』第六巻のきわめて崇高な記述においては、アケロンの瘴気も忘れられてはいないし、それを取り巻く他のイメージと調和している。

そこには深い洞穴が、岩だらけで、
黒い湖と森の陰に守られて、大きな口を開けている。
その上を無事に飛んだ鳥は一羽すらいない。
それらの黒い顎から上空へと放たれる瘴気は、
それほどにすさまじいものであった。

〔ウェルギリウス『アエネーイス』第六巻二三七〜四一行〕

これらの例を加えたのは、私がその判断力を信頼する何人かの友人たちから、もしこの見解がそれだけで披露されたなら、一見しただけで笑劇と嘲笑の題材にされるだろうという意見を言われたからである。しかし、思うに、そうした意見は、苦みや悪臭を下品で軽蔑すべき観念——たしかに苦みや悪臭はしばしばそれらと結合している——と結合させて考えることから生じるのである。そうした結合は、これらにおいてだけでなく、他のすべての結合においても、崇高を減退させる。しかし、イメージの崇高性の試金石となるのは、それが下品な観念と結びついて下品になるかどうかではなく、みなが壮大と認めるイメージと結びついたときに作品全体が威厳によって支えられるかどうかなのである。恐ろしいものはつねに偉大である。しかし、ヒキガエルやクモのように、不快な性質をもつもの、もしくはある程度の危険はあるが容易に克服できるものは、たんに不愉快なのである。

第二二節　触覚と苦

触覚に関しては、身体的苦——あらゆる様式と程度の労苦、苦痛、苦悩、責め苦——が崇高を生み出すということ、そしてこの感覚においてはそれ以外のもので崇高を生み出せるものは何もないということ以外に言うべきことはほとんどない。ここで新たな例を示す必要はないだろう。なぜなら、先行するいくつかの節であげた例が、私の意見を十分に例証しているし、その意見の正しさを知るには、じつは各自が自然に対して注意を払うだけでいいのである。

このようにすべての感覚を参照しながら崇高の原因を概観したことで、崇高は自己保存に属する観念であるという、私の最初の見解（第七節）がほぼ正しいということがあきらかになったと思う。また、それゆえ崇高はわれわれがもつ観念の中で、もっとも強い作用をもつ観念であるということ、ならびに、もっとも強い情緒は苦痛の情緒であり、積極的な原因に由来する快はそれには属していないということも同様にあきらかになったと思う。これらの真理を例証するために、これまで挙げた以外の無数の例を引くこともできるだろうし、有益な結果をそこから引き出すこともできるだろう。

だが、われわれがひとつひとつの細部に夢中になって拘泥しているその間に、
時は過ぎ去ってしまい、呼んでも戻ることはない。

〔ウェルギリウス『農事詩』第三巻二八四～八五行〕

第三部

第一節　美について

私の意図は、美を崇高と区別して考察することであり、またその探求の過程でどの程度まで美と崇高が一致するのかを検討することである。しかし、その前に、この性質に関してすでに人々が抱いている見解を概観しなければならない。だが、それらをいくつかの確固とした原理に還元することはほとんど不可能である。なぜなら、人々は美を比喩的に、つまりきわめて不たしかで曖昧に語ることに慣れてしまっているからである。美という言葉で私は、愛もしくは愛に似た情念を喚起する、物体のひとつもしくは複数の性質を意味する。私はこの定義を事物の可感的性質にのみ限定するが、それは主題のもつ単純さを保持するためである。というのは、たんに見ただけでそれとわかる直接的な原因からではなく、二次的な理由からわれわれが人やものに寄せる共感のさまざまな原因を考慮するときにはいつでも、われわれの注意が散漫になってしまうからである。同様に私は、愛——この言葉で私は、どんな性質であれ美しい事物を思念するときに精神に湧き上がる満足を意味するのだが——を、欲望あるいは色欲と区別する。それらは、ある対象を所有すべくわれわれを駆り立てる精神のエネルギーであり、対象が美しいからではなく、まったくべつな仕方でわれわれに作用するのである。われわれはさほど美しくない女性に強い欲望を感じることがあるが、他方、男性や動物の非常な美しさは、愛を喚起することはあるにしても、欲望というものを引き起こすことはまったくない。このことからわかるのは、美によって喚起される情念——われわれはそれを愛と呼ぶ——は、欲望とは異なるものだということである。もっとも、欲望はときには愛と連動するのではあるけれども。通常愛と呼ばれているものに伴う激しく嵐のような情念と、その結果として生じる身体の情緒は欲望に起因するものと考えるべきであって、美それ自体が引き起こす効果ではない。

第二節　均整は植物の美の原因ではない

通常、美は各部分の間のある種の均整（proportion）に存すると言われている。この問題を考えるにあたって、私はそもそも美が均整に属する観念であるかどうかという点に、疑問を抱いている。均整は、あらゆる秩序の観念がそうであると思われるのだが、ほとんどすべて便宜性（convenience）と関連している。それゆえ、それは感覚と想像力に働きかける主要な原因であるというよりはむしろ、悟性の産物であると考えられねばならない。いかなる対象であっても、われわれがそれを美しいと感じるのは、長期にわたる関心と探求の力によるのではない。美は推論の助けを求めることはない。意志さえも関与しないのだ。氷や火を当てることで冷たさや熱さの観念が生まれるのと同じくらい確実に、美の姿が見えることで、われわれの中にある程度の愛が生み出されるのである。この点に関する満足のゆく結論を得るために、均整とは何かを考察すればいいだろう。というのは、均整という言葉を用いている者の中には、この言葉の力をはっきり理解していない者や、そうした事物そのものに関する明確な観念をもっていない者もいるからである。均整とは、相関的な量を測ることである。すべての数値は分割可能であるから、ある量へと分割されたすべての部分は、他の部分もしくは全体と何らかの関係をもっている。この関係が、均整の観念の起源なのである。それは計測によって発見され、数学的な探求の対象となる。しかし、特定の量をもつある部分が、全体の四分の一、五分の一、六分の一、もしくは二分の一なのか、あるいはある部分が他の部分と等しいのか、二倍なのか、半分なのかということは、精神とはまったく無関係な問題である。精神はこの問題に対して中立的な位置に立つ。そして、この精神の絶対的な無関心と平静さから、数学的思索はそのほとんどの利点を引き出すのである。というのは、そこには想像力の関心を引くものが存在しないからであり、問題を吟味する判断力が自由かつ偏見をもたずにいられるからである。すべての均整、すべての量の配置は、悟性にとっては同じなのである。なぜなら、悟性にとってはすべてから、つまり、比較して大きい場合も、小さい場合も、等しい場合も、等しくない場合も、同じ真理が帰結するからである。だが、美が計測に属する観念ではないことはたしかである。また、美は計算や幾何学とも関係がない。もし関係があるなら、われわれは、それ自体であるいは他との関係の中で、証明可能な美がもつたしかな数値を指摘できるはずである。また、感覚しか保証人のいない自然物の美をその都合のよい規準に照らして、われわれの情念の声を、理性の決定によって裏づけることができるはずである。だが、そうした助けがない以上、これまで一般に考えられ、また一部で確信をもって断定されてきたように、均整が何らかの意味で美の原因と見なされていいのかどうかを考えてみようではないか。もし、均整が美の構成要素のひとつであるなら、その力は、ある規準に内在して機械的に作用する自然な属性に由来するのか、慣習の作用に由来するのか、あるいは特定の便宜的目的に対応する手段の合目的性（fitness）に由来するのかのいずれかであるはずである。だから、われわれがするべきことは、動植物の世界においてわれわれが美しいと見なす対象を構成する部分が、つねにある数値にしたがって形成されていて、それらの美が自然の機械的原因、もしくは慣習、もしくは特定の目的に関する合目的性のいずれかに基づく数値に由来していると納得できるのかどうかを探求することである。私はそれらの問題点を、この順序で考察するつもりである。だが、考察を進める前に、私の探求を支配した、あるいはもし私がまちがっているなら私を迷わせた、規則を規定しておくことは的外れとは見なされないだろう。（一）もし二つの物体が精神に対して同じか、もしくは似かよった効果を生み出し、しかも吟味した結果それらがある属性で一致し、べつな属性で異なっている場合、共通の効果の原因は、異なる属性ではなく、一致する属性にあると考えるということ。（二）自然物の効果を、人工物の効果から説明しないこと。（三）自然な原因を挙げることができる場合には、いかなる自然物の効果も、その効用に関する理性の結論から説明しないということ。（四）ある効果が異なった、あるいは反対の数値や関係によって生み出される場合、もしくはそれらの数値や関係が存在してはいるものの、効果を生み出さない場合、特定の数値あるいは数値の関係をその効果の原因と認めないということ。これらが、自然な原因として考えられた均整の力を調査するさいに、私が主としてしたがった規則である。そして、もし読者がこの規則を正当であると考えるなら、以下の議論をとおしてこれらの規則を記憶にとどめておいてほしいのである。その議論の中では、第一にどのような事物の中にわれわれが美という性質を見出すのかを検討し、つぎにそれらの中に、美の観念は均整から生まれるということをわれわれが納得するようなかたちで指定できる均整を発見することができるかどうかを検討する。われわれは、植物、人間より劣る動物、人間の中に見られる場合の美という快い力を考察することにする。植物に目を向けた場合、花ほど美しいものを見出すことはできない。しかし、花のかたちはじつにさまざまで、その配列もさまざまである。花は無限に多様な形状に変容し、かたちづくられている。そのかたちに基づいて植物学者たちは花に名前を与えるわけだが、その名前もまた同様に多様である。花の茎と花びらの間に、あるいは花びらと雌蕊の間に、どのような均整をわれわれは見出すことができるだろうか。ばらの細い茎は、それがしなりながら支えている大きな頭部と、どのように適合しているのか。だが、ばらは美しい花である。そして、ばらの美しさの大部分がこの不均衡に負っているのではないと言うことなどできるのだろうか。ばらは大きな花であるが、低木に咲く。りんごの花は小さいが大きな樹木に咲く。だが、ばらの花もりんごの花もともに美しい。そして、それらを咲かせる樹木の装いは、この不均衡にもかかわらず、人々を引きつけるのである。葉と花と実を同時につけるオレンジの木よりも美しいと一般に認められているものなどあるだろうか。だが、高さ、幅、全体の大きさ、特定部分相互の関係などに関する均整をそこに探し求めても無駄である。多くの花の中に規則的なかたち、花びらの秩序だった配列といったものをわれわれが観察できるということは、私も認める。ばらの花はそのようなかたちと花びらの配列をもっている。だが、斜めから見た場合、そのかたちの大部分は失われ、花びらの配列も混乱して見えるが、それでもなお、ばらは美しさを維持する。ばらはそれが大きく開く前の、その正確なかたちが形成される前の、蕾の状態のほうがなお美しい。均整の要点である秩序と正確さが、美の原因に対して奉仕するというよりもむしろ損なう例はこれだけではない。

第三節　均整は動物の美の原因ではない

美の形成において均整がごくわずかしか関わっていないことは、動物において十分にあきらかである。動物界においては、きわめて多様な姿と、部分の配列が、美の観念を喚起するのに適しているのである。白鳥はあきらかに美しい鳥であるが、首は体の他の部分よりも長く、尾はとても短い。これは美しい均整なのだろうか。われわれはそうだと認めざるをえない。だが、孔雀に関してはどう言ったらいいのだろうか。孔雀の首は比較的短いが、その尾は首と体を合わせたものよりずっと長い。これら各々の規準から、あるいは人が定めた他のあらゆる基準からかぎりなくずれて、かたちも異なり、ときには正反対な鳥が、いったいどれだけいるだろうか。それでもなお、それらの多くはとても美しい。それらを考察するとき、われわれはどの部分からも、他がどうであるべきかをアプリオリに言うことを決定してくれる何ものをも見出さないし、経験に照らしたときに失望と誤解に終わらないような何ごとかを推測することもできないのである。鳥もしくは花の色彩に関しては——というのはそれらの色彩に似たところがあるからだが——、それらの広がりについて考えられた場合でも、あるいは濃淡法について考えられた場合でも、したがうべき均整は存在していないのである。あるものは単色であり、あるものは虹のようにさまざまな色をしているし、あるものには主要な色があり、あるものは混じっている。つまり、注意深い観察者は、これらの色彩においても、かたちにおいてと同様に、均整というものはほとんどないと結論するだろう。つぎに獣に目を向けよう。美しい馬の頭部を見てみよう。それが胴体、そして足に対してどういう均整をもっているかを発見しよう。また、それらがお互いにどういう関係をもっているかを発見しよう。そして、それらの均整を美の規準として定め、つぎに犬、猫その他の動物を取り上げ、それらの頭部と首の間、それらと胴体の間などに、その同じ均整がどの程度当てはまっているかを検討しよう。つぎのように言ってもまちがいないだろう。あらゆる種で均整は異なっているが、それほどまでに異なっているじつに多くの種の中に、きわめて美しい個体が発見できるのである。さて、非常に異なり、正反対ですらある形状や配列が美と一致するということが認められるなら、少なくとも動物の種に関するかぎり、美を生み出すために、自然の原理によって機能する特定の数値は必要ではないということが結論できるのである。

第四節　人間の種において均整は美の原因ではない

人間の身体には、お互いに均整を保っていることが観察されるいくつかの部分が存在する。美を生み出す原因がそうした均整にあると結論する前に、そうした均整が正確である場合にはいつでも、その均整を備えた人間が美しいということが証明されなければならない。私がここで意味しているのは、個別的に考えられた身体部分あるいは身体全体のいずれかを見た場合にもたらされる効果のことである。また同様に、それらの部分はお互いに、比較がかんたんになされ、また心の動きがそれらから自然に生まれるような関係性を有しているということが証明されなければならない。私自身は、そうした均整の多くを注意深く観察し、多くの人間の中でその均整がほぼ、あるいはきわめて似かよっていながら、お互いにとても違っているばかりか、ある者は美しくある者は美から遠く離れているということを見出してきた。均整の取れている身体部分に関しては、それらは場所、性質、機能においてあまりにかけ離れているので、どのような比較がありえるのかが理解できず、結果としてそれらの均整からどのような効果が生まれるのかも理解できないということがしばしばある。美しい身体における首は、足のふくらはぎと同じ長さであるべきであり、同様に、手首の周囲の二倍であるべきだと言われている。この種の見解は、多くの人々の書きものや会話の中に無数に存在している。だが、ふくらはぎと首、あるいはこれらふたつと手首との間にどういう関係があるというのだろうか。そうした均整は美しい身体の中にたしかに見出すことができる。だが、調べてみれば、そうした均整は醜い身体の中にも確実に存在するのである。いや、もっとも美しい身体のいくつかにおいては、そうした均整はもっとも不完全であるかもしれない。人間の身体のあらゆる部分に好きな均整を割り当てることができるだろう。だが、請け合ってもいいが、ある画家がそれらの均整を宗教的なまでに遵守してなお、彼が望むならば、とても醜い人物を描けるだろう。その同じ画家は、それらの均整から大きく逸脱してなお、とても美しい人物を描けるだろう。じっさい、古代や近代の偉大な彫刻の傑作においては、非常に目立ちかつ重要な部分において、お互いの均整が大きく異なっていることが観察されるだろうし、生身の人間がもつ非常に顕著でしかも快適な形状とも、それに劣らず異なっていることも観察されるだろう。結局のところ、均整美の支持者の間で、人間の身体の均整に関して、どの程度の合意があるのだろうか。ある者は七等身であると言い、ある者は八頭身であると言い、それを十頭身にまで拡大する者もいる。こんな小さな数字の分割においてもこれほどの違いがあるのだ。均整を算出するその他いくつもの方法があり、それらは等しく成功を収めている。だが、これらの均整は、すべての美しい男性において、正確に同一なのだろうか。それらはそもそもすべての美しい女性において、見出せるものなのだろうか。そうだとはだれも言わないだろう。疑いもなく、男性も女性も美しくありえるが、女性の方がより美しい。だが、女性の方が均整の正確さにおいて勝っていることがその理由であるなどと、ほとんど信じることができない。しばらくこの問題に留まって、人間という単一種の両性の多くの類似部分に一般的に見られる量の違いがどれだけあるかを、考察してみよう。ある定まった均整を男性の手足に指定し、人間の美をこの均整に限定したとしよう。もしあらゆる部分の構造と量が指定と異なる女性を発見したなら、あなたは自分の想像力の示唆に逆らって彼女は美しくないと結論するか、想像力にしたがって規則を否定するかのどちらかをしなければならない。あなたは、定規とコンパスを捨てて、ほかの美の理由を探さなければならない。というのは、美が自然の原理によって作用する特定の数値に付属するものであるなら、なぜ、違った均整の数値をもつ類似の部分が――しかもまったく同一の種において――美しいと見なされるのだろうか。しかし、少々展望を開くためにつぎのような観察をすることには意味があるだろう。つまり、ほとんどすべての動物はとても似かよった性質をもち、ほぼ同一の目的を果たすようにつくられた部位をもっている。頭、首、胴体、足、目、耳、鼻、口などである。だが、神の摂理は、それらの必要を最良の方法で満たし、神の創造における知と善の豊かさを開陳するために、これらの少数の類似した器官と身体部分から、その配置、量、関係において、ほとんど無限とも言える多様性を生み出したのである。しかし、上で述べたように、この無限の多様性の中にあって、ひとつのことが数多くの種に共通である。それは、それらの種を構成する個体のいくつかがわれわれの愛らしさの感覚を刺激するということである。それらは、美の効果を生み出す点では一致していても、その効果をつくり出す部分の相対的な数値においては極端に異なっているのである。こうしたことを考えるだけで、快適な効果を自然に生み出すように作用する特定の均整という概念を、私は拒絶したくなるのである。しかし、特定の均整の効果という点で私と同意見の人の中にも、もっと曖昧な均整の観念に強く賛同する人々がいる。彼らの考えによれば、一般的な美は、いくつもの種類の快適な動植物に共通な特定の数値に関係しているわけではないけれども、各々の種の内部では、その特定の種の美に絶対的に必要なある均整が存在しているというのである。動物界一般を考えた場合、美は特定の数値に限定されていないことがわかる。しかし、部分の特定の数値と関係によって各々の種が区別されるのだから、各々の種における美しさは、その種固有の数値と関係に見出されるのは必然的なのである。というのは、そうでなければ、それは固有の種から逸脱しているということであり、ある意味で怪物的だからである。しかしながら、どんな種でも、個体間のかなりの多様性を許容しないほど特定の均整に厳密に限定されているということはない。各々の種が共通形態から逸脱することなしに許容するあらゆる均整において、美が区別なく見出されるということは、人間においてはすでに示されてきたし、同様に動物においても示されるであろう。そもそも部分間の均整が尊重されるのはこの共通形態の観念のためであって、自然的原因の何らかの作用のためではない。じっさい、少し考えればわかるのだが、形態に属するあらゆる美をつくるのは数値ではなく様式である。われわれが装飾的意匠を研究するとき、この幅を利かせている均整というものから、どのような光明を得ることができるであろうか。もし芸術家たちが、均整こそ美の主要な源泉であると信じているなら――そう信じているかのごとくに彼らはふるまっているのだが――、彼らが何か優美なものを制作しようとするさいに、適切な均整に彼らを助け導くような、あらゆる美しい動物に関する正確な数値を彼らが自分たちでまったくもち合わせていないということは、私には驚くべきことに思われるし、彼らがしばしば、自分たちの実践を導くのは自然における美の観察であると主張しているのだから、なおさらである。建築物の均整は人間の身体の均整から取られているということが長く言われており、ある著述家からべつな著述家へと木霊のように何度も何度も言い交わされていることは、私も知っている。この強引な類比を仕上げるために、彼らは手を横いっぱいに伸ばした人間の図を描き、この奇妙な図の先端を線が通るようなある種の四角形を描く。しかし、人間の図が建築家にいかなる着想も与えたことがないのは、きわめてあきらかであるように思う。というのは、第一に、人間はそうした無理な姿勢で見られることがめったにないし、その姿勢は自然ではないし、似つかわしくもない。第二に、そうした人間の姿勢を見て自然に思い出すのは、四角形の観念ではなく、むしろ十字架である。なぜなら、その図がだれかに四角形を考えさせる前に、腕と地面の間の大きな隙間をなにかで埋めなければならないからである。第三に、建築物の中には、最良の建築家によって建てられたにもかかわらず、まったく四角形ではないが、同じくらい良いか、もしくはさらに良い効果を生み出すものがあるということである。たしかに、建築家が自分の設計において人間の姿をモデルとすることくらい、説明不可能なまでに滑稽なことはないだろう。なぜなら、人間と家や寺院ほど類似性や類比性をもたないものはないからである。それらの目的がまったく違っているということを述べる必要があるだろうか。こうした類比が考案されたのは、自然の中のもっとも高貴な作品との類似点を示すことで、人工の作品に名誉を与えるためであって、前者が後者の完全性に関するヒントを与えるからではまったくないと、私は考えている。そして私は、均整の擁護者たちは人工的な観念を自然に転嫁しているのであって、人工の作品で用いられている均整が自然から借り受けられているのではないと、ますます信じるのである。なぜなら、この問題に関する議論においては、彼らはいつも、自然美の広々とした領域と動植物の王国からできるだけ早く抜け出して、建築の人工的な線と角度によって自分たちを守ろうとするからである。というのは、人間には、自分自身、自分の見解、自分の作品を、他のものすべての卓越を測る規準にしようとする不幸な傾向があるからだ。だから、各部分がお互いに対応するような規則的なかたちで建てられた場合に、住居はもっとも便利で堅固であるということを観察したとき、彼らはその観念を庭に持ち込み、立木を柱やピラミッドやオベリスクのかたちに仕立て、垣根を緑の壁に変え、そして歩道を正確で対称的な四角形、三角形その他の幾何学的なかたちに造形したのである。彼らは、かりに自分たちが自然を模倣していないとしても、少なくとも自然を改善し、自然に本来の仕事を教えているのだと考えていたのである。しかし、自然はついに彼らの統制と足枷から逃れた。そして、われら英国の庭は、他はどうあれ、われわれ英国人が数学的観念は美の真の尺度ではないと感じ始めたことをはっきりと示しているのである。また、植物界と同じように、動物界においても数学的な観念が美の真の尺度でないことはたしかである。美しい叙景詩や無数のオードや哀歌が世界の人々の口に上り、その多くは時代を超えて愛されてきたし、熱情的な力をもって愛を描き、その愛の対象を無限に変化する光のもとに表現した作品もある。だが、だれかが主張するように、均整が美の主要な構成要素であるなら、それらの作品の中で均整に関して一言も触れられていないというのは、異常なことではないだろうか。他方では、同時に、他のいくつかの性質が頻繁かつ熱心に言及されているのである。だが、もし均整にそうした力がないのなら、なぜ人々がそもそも均整に関して、そこまで過大に考えるようになったのかが、奇妙に思える。思うにそれは、すでに触れたように、人が自分自身の作品や考えに対して抱く偏愛に由来するのである。それは、慣れ親しんだ動物の姿の効果に対する誤った推論に由来するのである。また、それは合目的性と適合性に関するプラトン的理論に由来するのである。そうした理由から、次節では、動物の姿に関する慣習の効果を考察し、その後で合目的性の観念を考察する。なぜなら、もし均整がある数値に付随する自然な力によって機能しているのでないなら、それは慣習もしくは功利性の観念によっているのであり、その他の理由ではないはずだからである。

第五節　均整に関するさらなる考察

もし私がまちがっていなければ、均整の力を過大に考える偏見は、美しい対象に見出されるある数値ではなく、美の反対物と考えられてきた奇形（deformity）が美に対してもつ関係についての誤った考えに由来しているのである。その原理にしたがえば、奇形の原因が取り除かれれば、美が自然かつ必然的に生み出されるという結論が出るのである。私はそれがまちがいであると信じている。というのは、奇形は完全で共通な形態の反対物なのであって、美の反対物ではないからである。もし、ある人の足が片方の足よりも短ければ、その人は奇形である。なぜなら、人間に関してわれわれが抱く完全な観念から欠けるものがあるからである。それは、生まれつきの欠陥においても、事故によって生じた障害や欠損と同様の効果をもたらす。だから、もし背中が曲がっていれば、その人は奇形である。なぜなら、彼の背中は不自然な姿をしており、病気や不幸といった観念を伝えるからである。また、もしある人の首が通常よりもかなり長い、あるいは短いならば、われわれはその部分は奇形であると言う。なぜなら、人は一般にはそのような姿をしていないからである。しかし、日常的な経験ですぐに確信できることだが、足の長さが等しく、あらゆる点で似かよっていて、首の長さも適当で、背中もまっすぐでありながら、それでもなお知覚可能な美をまったくもっていない人もいるのである。じっさい、美は慣習の観念には属していないので、現実にそうした仕方でわれわれに働きかけることはきわめて希で珍しいことなのである。美は、奇形それ自体と同様に、われわれを目新しさで打つのである。われわれが新たにその存在を知るようになる動物の種についても同様である。新しい種のひとつが紹介された場合、われわれはその美醜の判断をするのに、慣習によって均整の観念が決定されるのを待ったりはしない。そのことが示すのは、美の一般的な観念は自然な均整に基づいていないのと同様に、慣習的な均整にも基づいていないということである。奇形は共通の属性の欠如から生じる。だが、ある対象においてそうした属性が存在しても、その結果として必然的に美が生まれるわけではない。かりに自然物における均整が、慣習や慣れと関係があると想定したとしても、積極的かつ強力な性質としての美がそれらから生じるのではないということは、慣れと慣習が本来的にもつ性質によってあきらかになるだろう。人間は一方では目新しさを激しく求める生き物でありながら、他方では習慣や慣習に強い愛着をもつという、驚くべき性質を付与されている。しかし、慣習によって維持されている事柄は、それが存在しているときにはわれわれの注意を引かないのに、なくなると強く注意を引くという性質をもっている。私は長い期間にわたって毎日、ある場所を頻繁に訪れたことがある。正直に言うが、そこに快を見出したことはなく、ある種うんざりした感じと嫌悪感をもったのである。そこに行っては、快適な感じをもたずに帰ってくるということをくり返した。だが、ある事情で、そこにいるべき時間をやり過ごしてしまうことがあると、どうにもそわそわした気もちになり、そこに行くまでは落ち着かないのだった。かぎ煙草を吸う者は、自分ではほとんど意識せずに吸っており、その強い臭いからほとんど何も感じないほど、臭いに対する鋭敏な感覚は失われている。だが、彼から煙草入れを奪うなら、彼は世界で一番辛い思いをする人間となるのだ。じっさい、慣れと習慣それ自体は快の原因からほど遠いのであり、恒常的な慣れはその結果として、あらゆる種類のあらゆるものを、まったく無感動にしてしまうほどである。というのは、慣れは多くのものの不快な効果を最終的に取り除くのと同様に、快適な効果も減じてしまい、苦と快の両方をある種の中庸で無関心なものに変えてしまうのである。慣れを第二の自然というのはじつに正しい。そして、われわれの自然で通常の状態は、苦と快の両方にひとしく備えたある種の絶対的な無関心なのである。しかし、われわれがこの状態から放り出され、この状態を維持するのに必要なものを奪われた場合、もしそのことが機械的な原因で起こった快によるものでなければ、われわれはつねに傷つくのである。それは、第二の自然としての慣習、そしてそれに関するあらゆる事柄について当てはまるのである。こうして、人間と動物の通常の均整から欠けたものがある場合、それはたしかに忌み嫌うべきものとなるが、それがあるというだけで真の快の原因になるということは、けっしてないのである。人体の美の原因として主張されている均整は、美しい人体においてしばしば見出されるのはたしかであるが、それはその均整が一般にすべての人間に見出されるものだからである。しかし、もし、それらがあってもなお美しくないものがあること、それらがなくてもなお美しいものがあること、それらがあってもなお美の原因がつねに他のよりはっきりした原因に基づいていること、などが同様に示されたなら、美と均整は同じ性質をもつ観念ではないという結論に達するのは当然であろう。美の真の対立物は不均整や奇形ではなく、醜（ugliness）なのである。醜は積極的な美の原因と正反対の原因で生じるがゆえに、われわれはそれを論じ始めるまで、醜について考察することはできない。美と醜の間にはある種の中庸があり、そこでは件の均整がもっとも当たり前に見出される。だが、それらが情念に働きかけることはないのである。

第六節　合目的性は美の原因ではない

功利性の観念、あるいは部分がその目的に応えるべくよく適合しているという観念が美の原因であるとか、あるいは美そのものであると言われている。もしこの見解がなかったなら、均整の理論がこれほどまでに長く支持されることはなかったであろう。自然の原理にも目的への適合性にも、何にも関係しない数値について聞くことに、世間はすぐに飽き飽きしてしまったであろう。均整に関して人類がもっとも普通に抱く観念は、目的に対する手段の適合性である。この問題が存在しないところでは、彼らは事物を測るためのさまざまな数値の効果に関して思い悩むことはほとんどないのである。したがって、この理論のおかげで、人工物だけでなく自然物においても、それらの美は目的に対する各部分の適合性に由来するということを主張する必要が生じるのだ。だが、この理論の形成にあたって、経験に鑑みるということが十分になされなかったのではないかと危惧するのである。この原理にしたがえば、イノシシの場合、先端に硬い軟骨をもった楔形の鼻や、落ちくぼんだ小さな目や、頭全体の形状は、穴を掘ったり根を掘り返したりする役目にとても適しているわけだから、非常に美しいはずである。ペリカンのくちばしに垂れ下がった大きな袋は、この動物にとってとても有用なので、人間の目にも美しいはずである。棘だらけの皮膚ですべての外敵からの攻撃から身を守るハリネズミや、飛び出す針をもったヤマアラシは、少なからぬ優美さをもった生き物と見なされるはずである。サルよりも身体部分が巧妙につくられている動物は少ない。サルは人間の手と獣の弾むような足をもっている。サルが走ったり、跳ねたり、摑まったり、登ったりすることが得意なようにつくられているさまは賞讃に価する。だが、人間の目から見て、サルほどに美しく見えない動物は少ないのだ。さまざまな役に立ちながら、美に寄与することのない象の鼻については触れるまでもないだろう。狼は何と走ったり跳ねたりすることに適しているであろうか。ライオンは何と素晴らしく戦う能力を備えているであろうか。だが、だれが象や狼やライオンを美しい動物と呼ぶだろうか。だれも人間の足を、馬や犬や鹿やその他の動物の足のように、走ることによく適合しているとは思わないだろう。少なくとも外見上はそうである。だが、きれいなかたちをした人間の足は、美しさにおいてそれらすべてをはるかに凌いでいることが容認されるだろうと私は信じる。もし、部分の合目的性がその形状の愛らしさをつくるとしたなら、じっさいにそれを用いることが、その美を疑いなく増大させるだろう。しかし、それがつねに事実であるわけではまったくないし、たとえそうである場合でも、異なる原理に基づいていることが少なくない。翼を広げて飛んでいる鳥は、木に止まっているときほど美しくない。それどころか、家禽のいくつかは、飛んでいるところはめったに見られないが、だからといって美しくないわけではない。しかし、鳥はその形状において人間や獣とはとても異なっているので、それらの体の各部分がまったくべつな目的に合わせて設計されていることを考慮せずに、合目的性の原理に基づいてそれらの快適さを認めるわけにはいかない。私はこれまでの人生において、孔雀が飛んでいるのを見たことはない。だが、それが飛行生活に適しているかどうかを考察するずっと以前に、世界中の飛行する最良の鳥類の多くを凌ぐその非常な美しさに打たれたのである。だが、私が見るかぎり、孔雀の生活は、それが農場で一緒に飼われている豚の生活とよく似ているのである。それは、雄鶏や雌鶏などにも当てはまる。それは飛ぶようなかたちをしているが、その移動方法は人間や獣と大して変わらないのである。そうした人間以外の動物の例を離れて考えるとして、もし、人間という種の美が有用性と結びついているなら、男性の方が女性よりも愛らしいであろう。そして、力と俊敏さが唯一の美と見なされるだろう。だが、力を美という名前で呼ぶことや、ほとんどあらゆる点で違っているヴィーナスとヘラクレスの性質に対してひとつの呼び名しかないということは、たしかに観念の奇妙な混同であり、言葉の乱用である。思うに、この混同の原因は、とても美しいと同時にとても目的に適っている人間や動物の身体部分を、われわれが頻繁に見ていることにある。そして、われわれは、たんなる同時存在を因果関係と取り違える詭弁によって欺かれているのである。それは、埃を大きく立てている馬車に止まっているという理由で、自分が埃を大きく立てていると考えるハエの詭弁である。胃、肺、肝臓その他の臓器は、比類なくその目的に適合している。だが、それらはとても美しいとは言えない。だが、何の役に立つのか分からないのにとても美しいものはたくさんある。また、美しい目、かたちのいい口、姿のいい足を見たときに、見たり食べたり走ったりに適しているといった観念をわれわれはもつのかという、人間の最初でもっとも自然な感情に私は訴えかけたいと思う。植物の世界でもっとも美しい花は、いったいどんな有用性の観念を喚起するだろうか。たしかに、かぎりなく賢明で善き創造主は、恵み深くも、われわれにとって有用なものに美を結合された。しかし、だからといって有用性と美の観念が同一のものであるということや、それらが相互に依存しているということが証明されたわけではない。

第七節　合目的性の本当の効果

私が、均整と合目的性は美に関与しないと言ったとき、それらに価値がないとか、芸術作品においてそれらを軽視していいとかということを意味していたのではけっしてない。芸術作品はそれらの力が生かされる最適な領域であるし、そこでこそ最大の効果を発揮する。ある物事が感情に働きかけるように、われわれの創造主が定めたときはいつでも、その意図の実行を、のろく気まぐれな理性の働きに任せず、それを悟性だけでなく意志の働きをも止めてしまう力と属性に任せたのである。その力と属性は、悟性がそれに賛同もしくは反対して介入する準備ができるより先に、感覚と想像力をとらえて、魂を虜にするのである。神の作品に見られる賞讃すべき智恵をわれわれが発見するのは、長きにわたる推論と多大な研究の後である。それを発見したさいの効果は、準備なしにわれわれが崇高や美に打たれる場合とは、そこに到達する仕方においても、その性質においても、とても異なっている。筋肉と皮膚の役割、つまりさまざまな動きにおける筋肉のすばらしい仕組みや、全体を覆いながら吸収や排出の全体的な役目ももっている皮膚の驚くべき組織を身体に発見する解剖学者の満足は、繊細で滑らかな肌や身体のその他の美しい部分——それを知覚するには何の研究も必要としない——を見たときに、一般の人々が感じる情動と何と違っていることだろう。前者の場合、われわれは創造主を賞讃と賛美をもって見上げるだろうが、その対象物は忌わしく、嫌悪感をもたらすだろう。後者はしばしば大きな力で想像力をとらえるので、われわれはその仕組みの巧みさを子細に検討するということはほとんどしないし、かくも強力な機構を発明した智恵に思いをはせるために、その対象の魅惑からわれわれの精神を引き離すには、理性の大きな努力を必要とするのである。少なくとも作品それ自体の考察だけに由来するかぎりにおいては、均整と合目的性は賞讃と悟性の同意を生み出しはするが、愛やそれに似た情念を生み出すことはない。時計の構造を調べ、各部分の機能を熟知したとき、われわれはその全体の合目的性に満足するだろうが、それは時計の仕掛けの美しさといったものを知覚することとはほど遠いのである。だが、そのケースに施された職人の精巧な彫刻を、その有用性など考えずに見た場合、その時計本体からよりも――それが有名なグレアム社製のものであったとしても――美に関する生き生きした観念を得ることができるだろう。すでに述べたように、美における効果は、有用性に関する知識に先立つ。しかし、均整についての判断を下すさいには、われわれは、その作品が意図されたそもそもの目的を知る必要がある。目的によって均整はさまざまに変わってくるからである。塔に相応しい均整があれば、家の均整、回廊の均整、広間の均整、部屋の均整がある。それらの均整について判断を下すためには、それらが設計された目的を最初に知る必要がある。良識と経験が共に働いたときに、すべての芸術作品において、何がなされるべきかが発見されるのである。人間は理性的な動物であり、そのあらゆる仕事において目的と目標が重視されるべきである。情念の満足は、それがどれほど無害なものであろうと、二義的なものとして考えられるべきである。そこにこそ、合目的性と均整の力の本来の場所がある。それらはそれらを考察する力である悟性に働きかけるのであり、悟性は仕事の成果に賛同し、同意するのである。情念と情念を生み出すことを主要な仕事とする想像力は、そこではほとんどすることがないのである。むき出しの壁と飾りのない天井だけで、ほかには何もない部屋があるとしよう。かりにその均整がすばらしいものだとしても、人に快を与えることはほとんどないだろうし、それが得られるものはせいぜい冷たい是認でしかない。だが、もっと均整の悪い部屋であっても、優美な繰型や素敵な花綱飾りや鏡やその他の装飾的家具があれば、想像力は理性の判断に反逆する。つまり、その部屋は、見事なまでに目的に合致しているとして悟性が大いに是認した最初の部屋の裸の均整よりも、想像力に快を与えるのである。均整に関して私がここであるいは以前に述べたことは、芸術作品における有用性の観念を愚かしくも無視するように説得することを目的としているのでは、けっしてない。私が証明したいのはたんに、美と均整というすばらしい二つの事柄が同じものではないということであって、そのどちらかを軽視すべきということではない。

第八節　要約

全体として、もし均整のとれた身体部分がつねに美しいとしたなら（そうでないことはたしかだが）、あるいは、もしそれらが比較によって快を生み出すなら（それは希なことである）、あるいは、動物であれ植物であれ、つねに美が伴うものにおいて列挙可能な均整が見出せるなら（それはありえない）、あるいは、もし部分が目的によく適合している場合にはつねに美が存在し、有用性が見えない場合には美が存在しないなら（それはあらゆる経験に反する）、美は均整もしくは功利性に存すると結論づけることができる。しかし、あらゆる点において、まったく違うのだから、美の原因がほかの何であれ、均整と功利性には依存していないということを、納得できるだろう。

第九節　完全性は美の原因ではないということ

美に関するもうひとつの概念が流通しているが、それはこれまで論じたことと密接に関連している。それはつまり、完全性（perfection）が美の構成要因だという考え方である。この見解は、可感的な対象以外にも拡大されてきた。しかし、可感的な対象をそれだけで考察した場合、完全性が美の原因となることはけっしてないので、可感的な美——それは女性において最高である——は、弱さと不完全性の観念をつねに伴うのである。女性はそのことに気づいている。それゆえ、彼女たちは舌足らずに喋ったり、よろめいたり、虚弱さや病気さえも装うことを学ぶのである。それらすべてにおいて、彼女たちは自然に導かれているのである。苦悩する美女は、大きく心に訴えかける。赤面はそれに劣らぬ力がある。一般に謙虚さ——それは不完全さを認めることである——はそれ自体愛すべき性質と考えられており、その他の愛らしい性質を確実に高めるのである。完全性を愛すべきであるという言葉が、あらゆる人の口に上ることを私は知っている。その言い方自体が、完全性が愛の適切な対象ではないことの証拠である。われわれに快を与える美しい女性や美しい動物を、愛するべきであるなどと言った者がかつていただろうか。愛を感じるために、意志の同意は必要ないのである。

第一〇節　美の観念はどの程度まで精神の性質に適用できるのか

このことは一般に、精神の性質にも同様に適用可能である。賞讃を呼び起こす崇高な美徳は、愛よりもむしろ恐怖を生み出す。不屈の精神、正義、智恵などである。これらの性質のおかげで人が愛らしくなることはない。われわれの心をとらえ、愛らしいという感じを与えるのは、気性の穏やかさ、同情、優しさや寛大さといった、柔和な美徳である。たしかに後者は、社会にとって緊急性や重要度は低く、威厳も小さい。しかし、まさにそれゆえに、それらは愛らしいのである。偉大な徳はおもに、危険、刑罰、困難に結びついており、好意を与えるというよりはむしろ最悪の災禍を防ぐために発揮されるのであり、それゆえに、それらはとても尊重されるけれども、愛らしくはないのである。副次的な美徳は、解放、満足、耽溺に依存しており、それゆえに威厳は低いがより愛らしいのである。人々の心に入り込み、安楽な時間の友あるいは気苦労や心配事からの解放として選ばれるのは、輝かしい性質や強固な美徳をもった人々ではないのである。輝かしい対象を見るのに疲れた目を休めるのは、柔らかな緑色に目線を置くことによってなのであり、人間の徳についても同じことが言える。サルスティウス〔古代ローマの歴史家、紀元前八六〜三五年〕が見事に対照的に描いているカエサルとカトーの性格を読むとき、われわれがどう感じるかということは、注目に値する。前者は「寛恕に篤く」(ignoscendo, largiundo)、後者は「寛恕するところがない」(nil largiundo)。前者は「不幸な者の避難所」(miseris perfugium) であり、後者は「危険を追い求める者」(mails perniciem)である。後者の中には、大いに賞讃すべきもの、大いに尊敬すべきものがあり、おそらくは幾許かの恐るべきものがあるのだ。われわれは彼を尊敬するが、距離を置いて尊敬するのである。われわれは前者に親しみを覚え、彼を愛し、彼の気にいることをしようと考える。こうした事実をわれわれのもっとも原初的でもっとも自然な感情に近づけるために、ある聡明な友人がこの部分を読んでつけ加えてくれたコメントを書き足すことにしよう。父親の権威はわれわれの幸福のために有用であり、あらゆる点で尊敬に値するけれども、われわれが母親に対してもつような全面的な愛情をもつことを妨げる。親の権威は、母親においては慈愛と溺愛の中に溶けてしまうのである。だが、われわれは祖父に対しては大きな愛情をもつ。というのは、祖父において権威はわれわれから離れたものとなり、年齢からくる弱さが権威を女性的な偏愛へと変えてしまうからである。

第一一節　美の観念はどの程度まで徳に適用できるのか

前節で述べたことから、どの程度まで美を徳に対して適切に適用できるかをたやすく知ることができる。美の性質を徳に対して包括的に適用することは、物事に関するわれわれの観念を混乱させ、際限なく気まぐれな理論を生み出してきた。均整、調和、完全性に対して、あるいは美の自然な観念からさらに遠く隔たっており、またお互いに遠く隔たっている諸性質に対して、美という名前を付すことは、美の観念を混乱させてしまうだけでなく、判断の規準あるいは規則として、われわれ自身の空想と変わらないくらいに不たしかで誤謬に満ちたものしか残さないのである。それゆえ、そうしたゆるく不正確なものの言い方は、趣味と道徳の理論の両方においてわれわれを誤謬に導き、（われわれの理性、関係性、必然性といった）適切な基盤からわれわれの義務に関する学を引き離してしまい、まったくもって空想的で実体のない根拠の上にそれを乗せてしまうのである。

第一二節　美の本当の原因

これまで美が何でないかを示すことに心を砕いてきたが、少なくとも同じ程度の注意力をもって、美が本当は何に存しているのかを論じる仕事が残っている。美は作用する力がとても強いので、何らかの積極的な性質に基づいていないはずはない。また、美は理性の産物でなく、有用性と無関係に、あるいは有用性がまったく認められない場合でも、われわれの心を打つ。さらに、自然の秩序と方法は、一般的に言って、人間がもつ規準や均整ととても異なっている。これらの理由から、美はその大部分が、物体がもつ性質として、感覚の介在によって人間の精神に機械的に働きかけると、われわれは結論せざるをえないのである。それゆえ、われわれは、経験によって美しさを見出すような事物において、可感的な諸性質がどのように配列されているのか、それらの諸性質の中の何が愛やそれに相当する情念を喚起するのかを、注意深く考察しなければならない。

第一三節　美しい対象は小さい

どんな対象であっても、それを吟味するさいに自ずと浮かびあがってくるもっとも明白な点は、その広がりと量である。美しいと見なされる物体における広がりの程度は、それに関わる通常の表現法から類推することができる。ほとんどの言語において、愛される対象は、指小辞のもとで語られると言われている。そのことは、私が知っているすべての言語に当てはまる。ギリシャ語においては、ιον その他の指小辞は、ほとんどつねに愛情と優しさを表す用語である。それらの指小辞は通常ギリシャ人たちによって、友情と親密さをもって会話する相手の名前に付加される。ローマ人はギリシャ人よりも鋭敏さや繊細さに欠ける人々であったが、それでも同様の機会には、自然に小ささを表す接尾辞を用いるようになった。古い英語では、小ささを表す ling が、愛の対象である人間や物の名前につけ加えられていた。

そのいくつかは「親愛なるあなた」という意味の darling という言葉やその他の用例に残っている。しかし、今日の日常会話においては、愛するすべてのものに、親愛の情を示す little をつけ加えることが一般的である。フランス語やイタリア語においては、英語よりもさらに多くの親愛の情を示す指小辞を用いる。人間以外の動物について言えば、われわれは小鳥やある種の小さな動物を愛する傾向がある。大きな美しいものといった言い方はほとんどしないが、大きな醜いものという言い方は普通である。賞讃と愛の間には大きな違いがある。賞讃の原因となる崇高は、つねに大きく恐ろしいものの上にあるが、愛は小さく快いものの上にある。われわれは賞讃するものにしたがうが、われわれにしたがうものを愛する。前者の場合、われわれは強いられるが、後者の場合、われわれは嬉しがりつつ自らしたがうのである。つまり、美と崇高の観念はまったく違う基盤の上に立っているがゆえに、情念に対するどちらかの効果を大幅に切り下げることなく同一対象の上に両者が共存するということを考えるのは難しく、不可能であるとすら言いたくなるのである。したがって、量に関して言うなら、美しい対象は比較的に小さいのである。

第一四節　滑らかさ

美の対象につねに観察されるつぎの性質は、滑らかさ（smoothness）である。* それは美にとっての本質的な性質であるがゆえに、滑らかでないのに美しいといったものを思いつくことができないほどである。樹木や花における滑らかな葉は美しい。庭園における滑らかな地面の傾斜、風景の中の滑らかな小川、鳥や美しい獣の滑らかな毛並み、美しい女性の滑らかな肌、ある種の装飾的家具の滑らかで磨かれた表面などを思い起こしてほしい。美の効果のとても大きな部分、本当に大きな部分がこの性質に起因している。美しい対象の表面を、ぼろぼろでごつごつしたものに変えたなら、その他の部分がいかによく整形されていたとしても、それはもはや快いものではなくなってしまう。だが、逆に美の構成要素の多くを欠いていても、滑らかさを欠いていなければ、それは滑らかさを欠いているほとんどすべてのものよりも快適なのである。このことは私にとってあまりにも自明なので、このテーマをあつかっている著述家の中に、美を構成する要素として滑らかさの性質に言及している者がだれもいないことに驚いている。というのも、じっさいにごつごつした性質、突然の突起、急角度といったものはすべて、美の観念に大いに反しているのである。

*第四部第二一節。

第一五節　漸進的変化

完全に美しい物体は角張った部分によって構成されていないだけでなく、それらの部分が長くつづく直線であることもない。* それらは刻々と方向を変え、目前で絶えずつづく逸脱によって変化するが、その変化の始まりと終わりの点を特定することは難しいのである。美しい鳥を見れば、私の言いたいことがわかるだろう。その頭部は中央において気づかれないような仕方で膨れ上がり、そこから首と交わる部分までしだいに細くなってゆく。首は大きく膨れ上がる部分で消滅し、その膨らみは胴体の真ん中までつづく。そこから全体は尾に向かってふたたび細くなってゆく。尾は新しい方向を取るが、その中ですぐに変化してゆく。それはふたたび他の部分と溶け合い、その線は上下両側に変化しつづける。この描写で私が眼前に思い浮かべているのは鳩の観念であるが、鳩は美の諸条件ときわめてよく一致するのである。それは滑らかで毛羽立っており、それらの各部分は（そうした表現を使っていいなら）お互いに溶け合っている。全体として、突然の突起を見つけることはできないが、絶えず変化している。美しい女性のもっとも美しい部分、首や胸、を観察してほしい。その滑らかさと柔らかさ。ゆるやかで気づかないような膨らみ。どんな小さな部分もけっして同じではない表面の変化。どこに定まるとも、どこに運ばれるとも知れず、ふわふわと漂う不安定な目線が辿る人を欺くような迷路。表面における絶えることのなく、しかもどの地点でもほとんど気づかれないようなこうした変化を見せることこそ、美の最大の構成要素ではないだろうか。この時点で、私の理論をきわめて創意工夫に富んだホガース氏の見解によって補強できることを発見したのは、私にとってとても嬉しいことである。美しい線に関する彼の観念は、全体としてきわめて正しいものであると私は考える。しかし、変化の仕方に対して正確な注意を払わなかったので、変化の観念に引きずられて、彼は角張った変化まで美しいと考えるようになってしまった。それらの形象はたしかに大いに変化するが、それらは突然かつ途切れ途切れに変化するのである。私は自然の対象物の中で、角張っていて同時に美しいものはれ知らない。どこもかしこも角張っているものは自然の対象物の中にはほとんどないが、それに近いものはもっとも醜いものであると私は考える。自然を観察するかぎり、完全な美を見出すことができるのは変化する線においてだけであるけれども、つねにもっとも完全な美と見なすことができ、それゆえ他のあらゆる線に勝って美しいような特定の線は存在しないということを、ここでつけ加えておかなければならない。少なくとも、私はそれを見たことはいまだかつてない。

＊第五部第二三節。

第一六節　繊細さ

たくましく力強い外観は、美を大いに損なう。繊細さ（delicacy）ばかりか脆弱さの外観さえもが、ほとんど美に不可欠なのである。動植物を観察した者ならだれでも、この見解が自然に根ざしたものであることがわかるだろう。われわれが美しいと見なすのは、樫やトネリコや楡といった森の中のたくましい木ではない。それらは恐ろしくかつ荘厳である。それらはある種の畏敬の念を喚起する。われわれが植物の美を見出すのは、繊細なギンバイカ、オレンジ、アーモンド、ジャスミン、つる植物である。われわれに美と優美さのもっとも生き生きした観念を与えてくれるのは弱々しさと命のはかなさで目を引く花々なのである。動物界においては、グレーハウンドはマスティフよりも美しいし、スペイン産の子馬やバーバリ馬やアラブ種の馬は、軍馬や馬車馬の力強さや安定性に比べるなら、ずっと愛らしい。私の論点がたやすく認められるのは女性についてであるが、それをここで述べる必要はほとんどないだろう。女性の美はその虚弱さと繊細さに多くを負っており、それらに類似する精神的性質である内気さによって促進さえされるのである。だが、不健康の現れである虚弱さが美に貢献するということを私が言っていると理解してほしくない。だが、その悪影響は虚弱さから来るのではなく、その虚弱さを生み出した悪い健康状態が、美の他の条件を変えてしまうからである。そうした場合、手足は萎え、若さの輝き（lumen purpureum juventae）は消え、繊細な変化は皺や唐突な変化や直線の中に失われてしまうのである。

第一七節　色彩における美

美しい物体に通常見出される色彩について、それらを確定することは難しい。なぜなら、自然のいくつかの部分においては、無限の変化があるからである。しかし、この変化の中でもいくつか確実なことを定めることができる。第一に、美しい物体における色彩は黒ずんで濁ったものであってはならず、明るく晴れやかなものでなければならない。第二に、それは強烈なものであってはならない。美に相応しい色彩はあらゆる種類において穏やかである。明るい緑、柔らかな青、薄い白、ピンク、紫など。第三に、もし色彩が強烈で生々しい場合には、それらはつねに変化に富んでおり、対象が強烈な色一色ということはない。そこにはほとんどつねに（斑入りの花のように）多くの色彩があるので、個々の色の強さや輝きは、かなりの程度和らげられるのである。美しい表情においては、色合いだけでなく色彩の変化がなく、赤も白も強烈で目立つことはない。おまけにそれらは、お互いの境界線がわからないような様式と変化によって混ざり合っているのである。孔雀の首や尾や雄鴨の頭の不たしかな色彩は、この同じ原理によって快適なものとなっているのである。じっさいに、形状と色合いは、それほどまでに違った性質をもつ両者が、そうすることが可能なのかと思われるほど、密接に関係しているのである。

第一八節　要約

全体として、たんに可感的なものとしての美がもつ性質は以下のようなものである。第一に、それは比較的小さい。第二に、滑らかである。第三に部分のもつ方向性に変化がある。第四に諸部分は角張っておらず、お互いに溶け合う。第五に、力強い外見が目立っておらず、繊細なかたちをもつ。第六に、明るく輝かしい色をもつが、とても強烈なものではない。第七に、もし強烈な色をもつ場合には、それは他の色と混じり合っている。これらが、美を支える性質であると私は考える。それらは自然によって作用する性質であり、他の性質と比べて、気まぐれによって変更されたり、趣味の多様性によって混乱したりすることの少ないものである。

第一九節　顔立ち

顔立ち（physiognomy）は、とくにわれわれ人間の種においては、美における大きな要素となる。顔つきはある程度まで振る舞い方によって決定されるのであるが、両者はきわめて規則的に対応しているので、精神のある快適な性質がもたらす効果を、身体の快適な性質に結びつけることができるのである。だから、人間の美を形成し、それに十分な影響力を与えるためには、外形の柔らかさ、滑らかさ、繊細さと対応するような優しく愛らしい性質を、顔が表現しなければならない。

第二〇節　目

私はこれまで、動物の美に大きく関与する目について言及することを意図的に避けてきたが、それは、目はこれまで論じた項目に——じっさいには同じ原理に還元できるのだが——分類することが容易ではなかったからである。思うに、目の美しさは第一にその澄み切った色（clearness）に依存している。どのような目の色がもっとも好まれるかということは特定の連想に左右されるだろうが、水分（そうした用語を用いていいなら）がどんよりと濁っているような目を好む者はいない。[*] この見解によれば、われわれはダイヤモンドや澄み切った水やガラスといった透明な物質を好むのと同様の原理によって、目に魅かれるのである。第二に、目の動きは、絶えず方向を変えることによって、美に貢献する。しかし、ゆっくりとけだるい動きの方が、素早い動きよりも美しい。後者は活気があるが、前者は愛らしい。第三に、目と隣接部分の結合に関して言うなら、他の美しい部分に関して述べたのと同じ規則が当てはまる。それは、隣接する部分の線からはっきりと逸脱するようであってはならず、また、正確に幾何学的なかたちに近づいてはならないということである。それらすべてに加えて言うべきは、目が影響力をもつのは、精神のある性質を表現しているからであり、また、その主要な力はそこに由来するということである。つまり、顔立ちについて述べたことが、ここにも当てはまるのである。

*第四部第二五節。

第二一節　醜さ

醜の性質についてここでくどくどと述べれば、すでに述べたことのある種の反復のように、おそらくは聞こえるだろう。というのは、醜(ugliness)は、美の構成要素としてわれわれが規定してきた諸性質の、あらゆる点における正反対の性質であると、私は考えているからである。しかし、醜が美の反対物であるとしても、均整や合目的性の反対物ではない。なぜなら、ある事物が均整やある用途への合目的性をもっていながら、なおかつ醜いということがありえるからである。醜は崇高の観念と十分に両立すると私は考える。といっても、醜そのものがひとつの崇高な観念であると私は言いたいわけではまったくない。醜が強い恐怖を喚起するような性質と結びついた場合はべつであるけれども。

第二二節　優雅さ

優雅さ（gracefulness）は美とそれほど異なった観念ではない。それは大体において美と同じ原因から生まれる。優雅さは姿勢と動きに属する観念である。どちらの場合においても、優雅であるためには困難さを思わせる外観がないことが必要である。必要とされるのは、身体のわずかな湾曲であり、物腰においては、身体各部分がお互いに邪魔をせず、鋭く急な角度でバラバラにならないような落ち着きが求められる。態度と動きのこの楽々とした姿勢、丸み、繊細さに、優雅さのすべての魔法、いわゆる「名状しがたいもの」（je ne sais quoi）が存しているのである。このことは、メディチのヴィーナスやアンチノウスその他の一般に非常に優雅であると認められている彫像を入念に考察した観察者とっては明白なことであろう。

第二三節　気品ともっともらしさ

ある物体が、滑らかで磨かれた部分から成り、それらの部分がお互いに邪魔をせず、でこぼこや混乱を見せず、同時に規則的な形状を取っている場合、私はそれを、気品がある(elegant)と呼ぶことにする。それは美と密接に関連しており、規則性においてのみ異なる。だが、それは、生み出される情動という点で実質的に異なっているので、べつな種を構成すると考えていいだろう。私はこの項目に、気品ある建築物とか家具といった、特定の自然物を模倣しない繊細で規則的な芸術作品を挙げることにする。ある対象が上述の諸性質もしくは美しい物体の諸性質を帯び、なおかつ同時に巨大な容積をもったとき、それはたんなる美の観念から大きく離れたものとなる。私はそれをすばらしい(fine)とかもっともらしい(specious)と名づける。

第二四節　触覚における美

目で見られるかぎりの美に関する前述の説明は、触感をとおして類似の効果を生み出す対象の性質の説明によって、大いに理解が助けられるだろう。それを私は触覚の美と呼ぶ。それは視覚に対して同種の快をもたらすものと、驚くほど対応しているのである。われわれ人間のすべての感覚の間には繋がりがある。それらはさまざまな対象の作用を受けるように計算された違った種類の感覚ではあるが、すべて同様の仕方で作用を受けるのである。触って快いすべての物体は、それらがもたらす抵抗の少なさゆえに快い。抵抗とは表面にそった動きに対する、もしくは各部分のお互いの圧力に対するものである。前者が少ない場合、われわれはその物体を滑らかであると言い、後者の場合、柔らかいと言う。触覚からわれわれが得る快の主たるものは、これらの性質のどちらかである。もしこれらの性質が結合すれば、われわれの快は大いに高まる。あまりに明白なので、このことを他の例から説明するよりも、このことで他の事柄を説明するほうが適切なのである。この感覚における快のつぎなる源泉は、他のすべての感覚においてと同様に、つねに何か新しいものがもたらされることである。つねに表面を変化させる物体は、触覚にとってもっとも快いあるいは美しいものであるとわれわれは知るのであるが、それは快を感じる者のだれもが経験することである。そうした対象の第三の属性は、表面がつねにその方向を変化させながらも、けっして急激には変化しないことである。何においても急激なものを適用することは、その印象それ自体に乱暴なものがほとんどあるいはまったくなくとも、不快である。常温よりも少し暖かいあるいは冷たい指を予告なしに突然当てることは、われわれを驚かせる。予期せずに肩を軽くたたかれることは、同様の効果をもつ。角張った物体、輪郭の方向を突然変える物体が、触覚にほとんど快を与えないのは、そうした理由からなのである。そうした変化はすべて、ある種の小規模な上昇あるいは落下なのである。だから、四角形、三角形などの角張った形状は、視覚にとっても触覚にとっても美しくないのである。柔らかく、滑らかで、変化に富み、しかも角張っていない物体に触れたさいの精神の状態を、美しい対象を目にしたさいの精神状態と比較した者はだれでも、両者における驚くべき類似を知覚するであろうし、それは両者に共通な原因をあきらかにする上で大いに貢献するであろう。この点で触覚と視覚が異なるのは、ごくわずかの点においてだけである。触覚は、視覚の主たる対象ではない柔らかさから快を受け取るが、他方、視覚は、触覚ではほとんど知覚できない色彩を把握する。また、触覚は適度な温かさから生じる新しい快の観念に関しては優位に立っているが、視覚は対象の無限の広がりと多様性において勝利する。しかし、この二つの感覚の間には大きな類似があるので、もし触覚で色彩を感知できるなら（盲目の人の中にはそれができる人がいると言われている）、視覚にとって美しいのと同じ色や同じ傾向の色合いが、触覚にとっても同様にもっとも心地よいのだろうと、空想したくなるのである。だが、推測は脇に置いて、つぎの感覚、聴覚に話を移そう。

第二五節　音の美

聴覚においても、われわれは柔らかく繊細な響きによって快い刺激を受けるという同様の傾向を見出す。どの程度まで甘美で美しい音が他の感覚における美に関する説明と合致するかは、各自の経験によって決定されなければならない。ミルトンは若書きの詩の一篇*において、この種の音楽を描いた。ミルトンがこの技に完璧に通じていたことや、彼以上に繊細な聴覚をもち、ひとつの感覚における情動をべつな感覚から取られた隠喩によって表現するすばらしい方法を身につけていた詩人は存在しないことは言うまでもないだろう。その表現とは以下のようなものである。

……心に食い入る悩みに抗して、
私を柔らかく甘美な調べで包め。
長く引き伸ばされ、繋がった、
曲がりくねった音のひとくさりで私を包め。

気まぐれな注意とめくるめく技巧をもった、
溶けるような声は、迷路を通して流れる。
隠された魂の調和を縛る
すべての鎖を解きながら。

〔ミルトン「ラレグロ」一三五～四二行〕

これを、他の事物の美がもつ柔らかさ、曲がりくねった表面、途切れのない持続、やすやすとした漸進的変化といったものと並べてみよう。いくつかの感覚の多様性は、それぞれいくつかの違った情動をもたらしながらも、お互いに光を投げかけ合って、複雑さと多様性によって曖昧化されるよりはむしろ、ひとつの明快で一貫した全体の観念を最終的につくり出すだろう。

以上の説明に、いくつかの注釈をつけ加えたいと思う。第一に、音楽の美は、他の情念を喚起するのに用いられるかもしれない音の大きさや強烈さには耐えられないし、甲高い音、耳障りな音、深い音には耐えられない。それは、明快で均一で滑らかで弱い音にもっともよく合致するのである。第二に、音量や音の高低における大きな多様性や急激な推移は、音楽の美の神髄に反している。そうした推移**はしばしば浮かれ騒ぎや、その他の急激で騒々しい情念を引き起こすが、あらゆる感覚における美の効果に関する特徴である沈み込むような、溶けるような、物憂い情念を引き起こすことはないのである。美によって喚起される情念は、じっさいにはどんちゃん騒ぎや浮かれ騒ぎよりも、ある種の憂鬱に近いのである。私はここで音楽を一種類の音、音調に限定するつもりはないし、音楽は私が熟達しているとは到底言えない分野の芸術である。ここでの説明における私の唯一の意図は、美に関する一貫した観念を定めることである。人間がもちうる無限の種類の情動は、明晰な頭脳と熟練した耳のもち主に、それらを喚起するのに適した多様な音を示唆するだろう。通俗に美の規準とされているる、お互いに異なり、ときに矛盾する膨大な数の観念から、同じ種類に属し、お互いに調和する個別的特徴を明確化し、区別することは、そのこととけっして抵触しないのである。私の意図はそうした特徴の中から、他の感覚がもつ快の項目と聴覚が一致するような主要な点だけを明示することなのである。

*「ラレグロ」。

**「私は、甘美な音楽を聴いて陽気になることはない」、シェイクスピア。〔『ヴェニスの商人』第五幕第一場六九行〕

第二六節　味覚と臭覚

諸感覚の全般的な一致は、味覚と臭覚を子細に検討することでさらに明白になる。われわれは隠喩的に甘さの観念を視覚や音に適用する。しかし、これらの感覚において快や苦を喚起するのに適した物体の性質は、他の感覚におけるほど明白ではないので、すべての感覚に共通な美の作用因を考察する予定の箇所で、それらの類比——それはとても近い類比である——を説明することにする。このように、他の感覚にある似かよった快を吟味すること以上に、視覚的な美の明確で決定的な観念を打ち立てるのに適した方法はないと、私は考えている。というのは、ある感覚において曖昧なことが、他の感覚においては明確だということが、ときにはあるからである。そして、すべてが一致する場合には、感覚のひとつに関してより確信をもって言うことができるのである。このようにして、それらはお互いの証人となる。自然がいわば精査されるのである。そして、自然それ自体の情報から受け取ったことだけを、われわれは報告する。

第二七節　崇高と美の比較

美に関する一般的な説明を閉じる前に、美を崇高と比較すべきだという考えが自然に起こってくる。そして、その比較において著しい対照が浮かび上がってくるのである。というのは、崇高な対象はその容積において巨大であるが、美しい対象は比較的小さい。美は滑らかで磨かれているが、偉大なものはごつごつしていて野放図である。美は直線を避け、なおかつそれと気づかれないように直線から逸れてゆくべきである。偉大なものは多くの場合に直線を愛し、それから逸れるときには急角度で逸れる。美は曖昧であってはならないが、偉大なものは暗く陰鬱でなければならない。美は明るく繊細であるべきだが、偉大なものはがっしりとして大きくなければならない。それらはじっさいにとても異なった性質であり、一方は苦に、他方は快に基づいている。各々の原因がもつ直接的な性質からその後で逸れてゆくとしても、それらの原因は美と崇高を永遠に区別しつづけるし、情念に対して働きかけることを業とする者はその区別をけっして忘れてはならない。われわれは、自然の組み合わせの無限の変化の中に、考えられるかぎりもっとも疎遠な性質が同じ対象の中で結びついているのを見つけることを予期しなければならない。われわれは芸術作品の中に諸性質の同種の結びつきがあることもまた予期しなければならない。だが、対象が情念に及ぼす力を考えるとき、その対象のすぐれた属性によって精神に訴えかけようとするのであるならば、その対象のもつ他の属性や性質が同質であり、なおかつ同一の主要な意図に向かってゆく場合に、生み出される情動がより均一で完璧なものになるということを、われわれはわきまえておかなければならない。

　もし白と黒が混じり合い、和らげられ、千もの仕方で
　結びつくならば、白と黒というものはなくなってしまう。
〔ポープ『人間論』第二巻二一三〜一四行〕

もし崇高と美がときとして結びついていることが見出されるなら、それらが同じものであることの証拠なのだろうか。それらが何らかの仕方で関係していることの証拠なのだろうか。それらは反対でもなく矛盾してもいないということの証拠なのだろうか。黒と白は和らげ合い混じり合うこともあるだろうが、だからといって同じものではない。それらがお互いにあるいは他の色と和らげ合い混じり合った場合には、それぞれの色が均一かつ単独である場合よりも、黒としての黒の力や、白としての白の力は、強くはないというだけである。

第四部

第一節　崇高と美の作用因について

私が崇高と美の作用因を探求するつもりだと言うとき、究極原因に行きつけるということを意味しているのではない。なぜ身体のある状態が、ほかでもないある特定の心の動きを生み出すのか、なぜ身体はそもそも精神の影響を受けるのか、あるいはなぜ精神は身体の影響を受けるのか、といったことを説明できるかのようなふりをするつもりはない。すこし考えれば、そんなことが不可能であるのはわかるはずである。だが、もしわれわれが、精神のどのような状態がある身体の動揺を生み出すのか、どのような特定の身体的感覚とその性質がある特定の情念を心の中に生み出し、ほかの情念を生み出さないのかを発見できれば、大きなことが成し遂げられるであろうと私は思う。それは、少なくとも現在われわれが考察対象としている情念についての明確な知識に向かうための手助けとなるだろう。思うに、それがわれわれにできるすべてである。かりにわれわれがさらに一歩前進したとしても、われわれは第一原因（神）から依然として同じだけ隔てられているわけだから、困難は依然として残る。ニュートンが引力の属性を最初に発見し、その法則を定めたとき、彼はそれが自然界におけるもっとも目覚ましい現象のいくつかを説明するために大いに役立つことを発見した。しかし、事物の一般的体系に関しては、引力はひとつの効果にすぎないと彼は考え、その原因をその時点では突き止めようとはしなかったのである。しかし、後年彼が希薄で伸縮性のあるエーテルによってそれを説明し始めたとき、この偉大な人物は（もしこれほど偉大な人物の中に欠点のような何かを発見するのが不敬でないならば）いつもの慎重な思索法から外れていたように思われる。というのは、かりにこのテーマに関して提案されたすべてが十分に証明されたとしても、われわれは依然として、その証明がもたらす成果と同じ数の困難とともに取り残されるように私には思われるからである。神自身の玉座に至るまで原因をひとつひとつ繋げてゆく原因の大いなる鎖は、人間がいかに勤勉でも、解き明かされることはない。われわれが直接に可感的な性質を超えてほんの一歩を踏み出すなら、われわれは自分の背丈の立たない深みへと出てしまうのである。これ以降に行うのは、われわれは自分自身に属さない領域の中にいるということを証明する、はかない努力にすぎない。だから、私が原因とか作用因と言うとき、私が意味しているのは、身体にある変化をもたらす心の動き、もしくは心に変化をもたらす身体のある力あるいは属性のことだけである。それはちょうど、私が地面に落下する物体の動きを説明する場合に、それは重力が原因であると言い、それが作用する仕方を示そうとするけれども、なぜそういう仕方で作用するのかを示そうとはしないようなものである。あるいは、物体がお互いにぶつかりあう効果を衝撃の一般法則によって説明する場合に、運動そのものがいかに伝達されるかを説明しようとはしないようなものである。

第二節　観念連合

われわれが情念の原因を探求するさいには、つぎのことが小さからぬ障害となる。つまり、多くの情念に機会が与えられ、それらの支配的な動きが伝達されるのは、それらについてわれわれが反省する余裕がないとき、つまりあらゆる種類の記憶が心の中で磨滅してしまったときだということである。というのは、自然の力にしたがってさまざまにわれわれに作用する事物に加えて、後になってから自然な効果と区別することがとても難しい観念連合が、早い段階から形成されるからである。多くの人々に見られる説明不可能な反感については言うまでもなく、われわれはいつから断崖が平地よりも恐ろしくなったのか、土くれよりも火や水が恐ろしくなったのかを思い出すことができない。これらすべてはおそらくは経験あるいは他の人々からの警告の産物であり、その中のいくつかはかなり後年の産物であることはたしかである。しかし、多くの事柄が、ある目的のためにそれらに自然が与えた力によってではなく、観念連合によってわれわれに作用していることは認めなければならないが、他方ですべての事物が観念連合によってのみわれわれに作用するのだと言うのも、ばかげたことである。というのは、あるものはもともと自然に快適だったり不快だったりするし、そこからその他のものが観念連合による力を引き出すのである。だから、情念の原因を観念連合の中に探し求めることは、事物の自然な属性の中にそれを探し求めることに失敗した後でなければ、ほとんど意味がないと思われる。

第三節　苦と恐怖の原因

恐怖を喚起するものはすべて崇高の基盤となりうると前に述べたが、*加えて、危険をまったく感じさせない多くのものも、恐怖を喚起するものと同様の仕方で作用するという理由で、同様の効果をもつこともある。私はまた、快、それも積極的で根源的な快を生み出すものはすべて、美という性質を帯びるのに適しているとも述べた。**それゆえ、崇高と美の性質を解明するために、それらの基盤になっている苦と快の性質を説明することが必要であろう。激しい身体的苦痛を受けている男がいるとしよう（その結果をより明確にするために、もっとも激しい苦痛であるとしよう）。大きな苦痛に苛まれる男は歯を食いしばり、激しく眉を寄せ、額にしわを寄せ、目は落ちくぼみ、きょろきょろと激しく動き、毛は逆立ち、短い叫び声やうめき声を絞り出し、体の組織全体が震える。苦痛や死に対する不安や恐れはまさに同じ結果を示し、原因の近さや対象の弱さに応じて程度を変えながら、いま述べたような状態に近づいてゆく。それは人間だけに限定されるわけではない。私は罰を恐れる犬が、じっさいに打たれたかのように身悶えし泣き叫ぶのを一度ならず見たことがある。このことから私は、苦痛と恐怖は、程度こそ違え、身体の同じ部分に同じように作用すると結論する。さらに私は、苦痛と恐怖は神経の不自然な緊張に存するということ、それは不自然な強さを伴い、それがときに突然異常な弱さに転ずるということ、それらの効果はしばしば交替して起こり、ときに混じり合う、と結論するのである。これはとくに、もっとも強烈な苦痛と恐怖の印象を受けやすい、より弱い者においてとくに見られるすべての痙攣的動揺の特徴である。苦痛と恐怖の唯一の違いは、苦痛を引き起こすものは、身体の介在をとおして精神に作用するのに対して、恐怖を引き起こすものは一般に、危険を示唆する精神の作用によって身体器官に働きかけるという点である。しかし、一次的あるいは二次的に、神経の緊張、収縮、激しい動揺を生み出すという点で一致する両者は、[***]その他のすべての点でも一致しているのである。というのは、この例やその他多くの例からはっきりとわかることだが、どんな手段によってであれ、身体がある種の情念によって、かつて頻繁に引き起こされたような動揺に陥るときには、身体それ自体もその情念にとても似かよった何かを精神の中に喚起するように思われるからである。

＊第一部第八節。　＊＊第一部第一〇節。
＊＊＊私はここで、苦痛は神経の収縮の結果なのか、緊張の結果なのかという、生理学者たちの間で議論が闘わされている問題に入り込む気はない。というのは、緊張という言葉で私は、その仕方がどうあれ、筋肉や膜組織を構成する繊維の激しい引きつけだけを意味しているからである。

第四節　同じ主題のつづき

この目的に関して、スポン氏〔ジャコブ・スポン、フランスの医学者、一六四七―八五〕はその『古代研究』において、カンパネッラという有名な観相学者の興味深い話を紹介している。どうやらこの人物は、人間の顔の正確な観察を行っただけでなく、人目を引くような表情を模倣する達人であったようである。治療する必要がある人々の性格を深く知ろうとするときには、彼は検査の対象となる人にできるだけ似せて、顔、身振り、体全体をつくり、その後でその変化によって彼が知り得た心の変化を注意深く観察したのである。著者によれば、その結果、彼はまるで当人になり変わったかのように効果的に、その人の性格や思考に入り込むことができたのである。私はしばしば観察しているのだが、怒ったり、落ち着いていたり、驚いたり、愛情を表現したりしている人々の表情や身振りを模倣するとき、知らず知らずに、私がその外見を真似ようとしている人々の情念へと、自分の心が変化していったという経験がある。いや、たとえ人が情念とそれに対応する身振りを切り離そうとしても、それを避けることが難しいと確信する。われわれの心と身体は、あまりに密接かつ親密に関係しているので、そのどちらかがもう一方と無関係に苦や快を経験することは不可能なのである。話題になっているこのカンパネッラという人物は、身体の苦痛から注意をうまく逸らせたので、さしたる苦痛を感じずに、拷問に耐えることもできたのである。もう少し苦痛の度合いが低い場合には、注意をほかに向けることによって、苦痛がしばし中断するのは、だれでも観察したことがあるはずである。他方、どういうわけか身体がそうした身振りを示さないとき、たとえそあるいはある情念が通常身体の中に引き起こす動揺に身体が引き込まれないとき、たとえその原因がそれまでになく強く作用していたとしても、情念それ自体が発生しないのを観察したことがあるはずである。それがたんに心的なもので、直接的に感覚に働きかけることがない場合でもそうなのである。それは麻酔薬やアルコール類が、未然に防ごうとしても、悲しみや恐れや怒りの働きを停止させるようなものであるが、それは身体の中にそうした情念から受けるのと正反対の傾向を誘発することによってなのである。

第五節　いかに崇高が生み出されるのか

恐怖を神経の不自然な緊張と激しい動揺であると考えれば、先述の内容からたやすくつぎのことが帰結する。つまり、そのような緊張を生み出すのに適したものはすべて恐怖*に似た情念を生み出すということ、そして結果として、たとえ危険の観念と結びついていないにしても、崇高の源泉となるに違いないということである。だから、崇高の原因を説明するために残るのは、崇高に関して第二部で示した例がそれらの性質上、心もしくは身体の基本的な働きによって、その種の緊張を生み出しやすい事物と関係していると証明することだけである。危険の観念との連合によって作用する事物に関しては、それらが恐怖を生み出すこと、そして恐怖の情念をいく分緩和させることによって作用するのは疑いがない。そして、恐怖が十分に激しい場合には身体に前述のような動揺を引き起こすということにも疑問の余地がない。しかし、もし崇高が危険もしくは危険と似かよった情念、つまり苦をその対象としてもつ情念、に基づいているなら、一見相反するような原因からいかにしてある種の悦びが引きだされうるのかをあらかじめ探求しておくのが妥当であろう。私が悦びという言葉を使うのは、すでにしばしば触れたように、それがじっさいの積極的な快とは、その原因と性質においてあきらかに異なっているからである。

＊第二部第二節。

第六節　いかにして苦は悦びの原因となりうるのか

神の摂理は、休息と不活動の状態が、いかに人間の怠惰にとって心地よいものであっても、多くの不都合を生み出すように定めた。つまり、休息と不活動は体調不良をもたらすので、人生をある程度の満足をもって送るためには、労働することが絶対に必要となるのである。というのは、休息の性質とは身体のすべての部分を弛緩させることであり、それは身体部分がその機能を発揮できなくするだけでなく、自然で必要な分泌作用をつづけるために必要な身体繊維の活力を奪ってしまうからである。同時に、こうした活気のない不活発な状態にあるときの神経は、引き締められ強化された場合よりも、恐ろしい痙攣に陥りやすいのである。

憂鬱、落胆、絶望、そしてしばしば自殺は、身体の弛緩状態のときにわれわれが陥りがちな、物事に関する陰鬱な見方がもたらす結果である。これらのすべての不幸に対する治療法は運動もしくは労働である。労働とは困難の克服であり、筋肉の収縮力の行使であり、そうしたものとして、緊張と収縮に存する苦痛に、程度以外のあらゆる点で似ているのである。労働は人間の粗野な器官が機能するための最適な状態に保つために必要なだけではない。それは、想像力やその他の心的な能力が働くさいの基盤となる、より精妙でより繊細な器官にとってもまた必要なのである。なぜなら、情念と呼ばれる魂のより下位の部分だけでなく、悟性それ自体も、作用するさいに繊細な身体的機能を用いることがあるらしいからである。それが何であり、それがどこかということを決定するのは難しいが。しかし、悟性が身体を用いているのは、長く精神的な力を用いると身体全体の倦怠がもたらされるということや、他方、大いなる身体的労働や苦痛が精神的な機能をじっさいに破壊するということから、わかるのである。身体構造の粗野で筋肉的な部分には適切な運動が必要不可欠であり、そうした刺激がなければそれは活力を失い病気になってしまうのだが、同じ法則が上で触れたより精妙な部分に関しても当てはまるのである。それらを適切な調子に保つためには、適度に動かされ、使われることが必要なのである。

第七節　より精妙な器官に必要な運動

苦痛の一形態である通常の労働が身体システムのより粗野な部分の運動であるように、恐怖の一形態が身体システムのより精妙な部分の運動となるのである。もし、ある種の苦痛が目と耳に作用するような性質をもっているなら、目と耳はもっとも繊細な器官であるから、それがもたらす情動は、精神的原因をもつ情動にもっとも近いものとなるだろう。これらの場合において、苦痛と恐怖がじっさいに有害でなくなるように緩和された場合、また、苦痛が激しいものとならず、それらの情緒が身体部分――精妙な部分であれ粗野な部分であれ――に対する危険で手ごわい厄介物をもっていないという理由で、恐怖が直接的な身体の破壊につながらない場合、それらは悦びを生み出すことができる。それは快ではなくある種の悦ばしい恐怖、恐怖の色合いを帯びたある種の平静さであり、それは自己保存に属しているがゆえにあらゆる情念の中でもっとも強いものである。その対象が崇高*なのである。その最高度のものを私は驚愕と呼ぶ。その程度の弱いものが畏怖、畏敬、尊敬であり、まさにそれらの（恐怖と結びついた）語源が、どういう源泉からそれらが由来するのかということと、それらがいかに積極的快と異なるかということを示している。

＊第二部第二節。

第八節　なぜ危険でないものが恐怖に似た情念を生み出すのか

ある種の恐怖や苦痛はいつも崇高の原因となる。＊ 危険と結びついた恐怖については、これまでの説明で十分であると思う。しかし、第二部で示したような崇高の例があるかたちの苦痛を生み出し、恐怖と結びつきうるということ、さらにはそれらもまた同じ原理に基づいて説明できるということを示すのは少々面倒である。最初にあつかうのは容積において巨大な対象である。まず、視覚的な対象について述べよう。

＊第一部第七節、第二部第二節。

第九節　なぜ巨大な視覚対象は崇高であるのか

視覚は対象から反射した光線によって、網膜、つまり目のもっとも神経の鋭敏な部分に瞬時に一枚の映像を形成することによって機能する。べつな人々の説明によれば、一度に知覚できるように目に描かれる映像は、対象のほんの一点でしかない。だが、目を動かすことによって対象の諸部分を敏捷に拾い集め、統一的な絵を作り出すのである。もし前者の意見が正しいなら、大きな物体から反射される光は一度に目を打つとしても、その物体自体は膨大な数の個別の点から構成されているのであり、それらの点のひとつひとつ、あるいはそれらから来る光線が、網膜に印象を残すと考えられるだろう。* だから、かりに一点の映像は膜にほんのわずかな緊張しかもたらさないとしても、つぎからつぎ、さらにつぎと来る映像はその過程で大きな緊張をもたらし、ついには最高度に達してしまう。そして、目の能力全体は、そのあらゆる部分が振動することで苦痛の原因となるような性質に近づいてゆき、結果として崇高の観念を生み出すに違いないのである。さらに、一度に対象の一点しか識別できないと考えても、事態は同じことである。あるいはむしろ、そのことによって、容積の巨大さがなぜ崇高の源泉になるのかということは、さらに明確になる。もし、一度に一点しか見ることができないならば、目はそうした物体の巨大な表面を迅速に行ったり来たりしなければならないし、結果的に、目を動かす役目をもった繊細な神経と筋肉は大いに緊張する羽目になる。そして、それらの非常な繊細さは、緊張によって大きな影響を受ける。それにまた、物体の部分が結合して一度に全体の印象を与えるのか、あるいは一度に一点の印象しか与えないのだが、同じ点や他の点の素早い連続を生み出し、結果としてそれらが統一的に見えるのかどうかは、もたらされる結果に関しては何の意味ももたないのである。そのことは、火のついた松明や木切れを旋回させてみればわかる。早く回せばそれらは火の円に見えるのだから。

＊第二部第七節。

第一〇節　巨大さにはなぜ統一性が必要なのか

この理論に対してはつぎのような反論が考えられる。つまり、目はつねに同じ数だけの光線を受け取るわけだから、開いている間に目はつねに多様な対象を見ているのであり、対象が巨大だからといって、目に入る光線の数が多いはずがないという反論である。それに対して私はこう応える。目を打つ光線の数や光の粒子の量がつねに一定であるとしても、光線があるときは青、あるときは赤とその性質をしばしば変え、色であろうとかたちであろうと変化のたびに、無数の小さな四角あるいは三角といったようにその消え方を変える場合、目の器官はある種の弛緩もしくは休息を得るのである。しかし、弛緩と労働が小刻みに交替するのはけっして楽なことではないし、それはまた活気ある均一な労働を結果としてもたらさない。激しい運動とささいでつまらない行為の違いに気づいたことのある者はだれでも、身体を疲れさせ同時に弱める厄介で苛立たしい仕事がなぜ大きな成果を生み出さないかを知っている。絶えず唐突に進路と方向を変えることで苦痛というよりはむしろ苛立ちをもたらすこの種の衝動は、十分な緊張すなわち強い苦痛と結びついて崇高を生み出すような均一な種類の労働を阻害するのである。さまざまな種類の事物を合計した場合、数の上でひとつの全体を均一に分けた部分の合計と同じであっても、身体器官に対する効果という点で同じになることはないのである。すでに述べたこと以外に、この違いをもたらすもうひとつのとても大きな理由がある。精神はじっさいに複数の事物に対して勤勉に注意を払うことはほとんどできないのである。事物が小さければ、効果は小さいし、数多くの違った小さな事物は注意を引きつけることはできない。精神の範囲は対象の範囲によって限定される。注意の対象とならないものと存在しないものはその結果において同じである。大きく均一な対象において、目もしくは精神（この場合、両者に違いはない）は容易に限界には達しない。対象を観察している間、目もしくは精神には休息はないし、得られる映像はどこでも同じである。だから、容積において巨大なものは、単一で、単純で、全体的でなければならないのである。

第一一節　人為的無限

われわれはすでに、ある種の偉大さは人為的無限から生じるということと、人為的無限は大きな部分の均一な連続に存するということを見た。さらに、均一な連続は音においても同様な力をもつということを見た。しかし、多数の事物がもたらす効果は諸感覚の中のあるひとつでより明確になるし、すべての感覚は相同性をもっていて、お互いに説明し合うわけだから、音における力に関する説明から始めることにしよう。というのは、連続に由来する崇高の原因は聴覚においてより明白だからである。ここではっきりと言わせていただくが、人間の情念の自然で機械的な原因の探求は、主題の興味深さ以上に、もしそれらが発見された場合には、この問題に関してわれわれが宣言する規則に、二重の力強さと輝きを与えることになるのである。耳が単一音を受け取るとき、それは単一の空気振動によって打たれる。それは鼓膜その他の膜の部分を、打撃の種類と性質に応じて振動させる。打撃が強ければ、聴覚器官はかなりの程度緊張することになる。打撃がすぐ後に反復される場合には、その反復はもうひとつの打撃の期待を喚起する。そして、期待それ自体が緊張の原因となるということをつけ加えなければならない。このことは、音を聞くための準備をして身を起こし、耳をそばだてる多くの動物たちにおいてあきらかである。したがって、ここでは音の効果は新しい補助手段である期待によって、大きく高められているのである。しかし、数多くの打撃の後で、われわれは到着のときを確信できないままさらなる打撃を期待するけれども、それらが到着すればある種の驚きを生み出し、それがさらに緊張を高めるのである。というのは、すでに述べたことだが、私が間隔をおいてくり返される音（たとえば大砲の連続発射）を熱心に待っているときにはいつでも、音の反復を十分に予期しているにもかかわらず、それが来ると、いつも私を少々驚かせる。鼓膜は痙攣し、身体全体もそれに応じる。打撃それ自体と期待と驚きが結合して、打撃のたびにこのように増大する緊張は、重なり合って崇高を生み出しえるほどの高みへと達し、いまにも苦痛を生み出しそうになるのである。原因が終息した後でさえ、しばしば同様に継続的な打撃を受けた聴覚器官は、その後しばらく同じように振動しつづける。それが、大きな効果をもたらす付加的な助けとなるのである。

第一二節　振動は似かよっていなければならない

振動が与える各々の印象が似かよっていなければ、それはじっさいの印象の数を超えて行くことはない。というのは、振り子のようなものを一方に動かせば、それは既知の原因がそれを止めるまで、同じ円の弧を描いて揺れつづけるが、最初にそれをひとつの方向に動かした後、それをべつな方向に押したなら、振り子は最初の方向に戻ることはないからである。なぜなら、振り子は自分で動いているのではなく、結果として最後の動きの影響をもつだけだからである。だが、同じ方向に何度も押せば、それは大きな弧を描き、より長く動きつづけるのである。

第一三節　視覚対象における連続の効果の説明

もしわれわれが、事物がいかにひとつの感覚に作用するのかを明確に把握できるなら、それらが他の感覚に作用する仕方を想像することにもほとんど困難はないだろう。個々の感覚におけるお互いに対応する情動に関して長々と述べることは、十分で豊かな論述によってこの主題に光を投げかけるというよりも、長々しく冗漫なくり返しによって、読む人を飽き飽きさせる結果になるだろう。しかし、この論考においてわれわれは視覚に作用する崇高に主たる関心を寄せているわけだから、同じ直線状に均一な部分を連続的に配置することがなぜ崇高となるのか、*どのような原理に基づいてこの配列は比較的小さな量のものを、異なる配列のより大きな量のものよりも、偉大にすることができるのか、ということをとくに考察してゆきたい。一般的な概念の複雑さを避けるために、眼前に直線に並べられた均一なかたちの柱による列柱を思い浮かべてみよう。そして、われわれの目線が列柱に沿って走るように立ち位置を決めてみよう。というのは、列柱はそう見たときにもっとも効果的だからである。

そうした状況において、最初の丸い柱から来る光線はある種類の（神経の）振動、つまり柱そのものの映像、を目の中に生み出すことはたしかである。後につづく柱はそれを増大させるだろう。引きつづく柱がその印象を更新し増大させる。どの柱も順番に衝撃と打撃をつぎつぎとくり返し、ついには、同じ仕方で運動をさせられた目はその対象をすぐには失うことはなくなり、この持続的な動揺によって激しく興奮した目は、精神に対して壮大で崇高な概念を提示することになるのである。では、均一なかたちの柱の列を見るかわりに、丸い柱と四角な柱が交互に連続していると想像してみよう。この場合、最初の丸い柱によって引き起こされた振動はつくられるやいなや消滅してしまう。そして、べつな種類（四角）の振動がすぐにその場を占める。だがそれはすぐに丸い柱に席を譲ってしまう。そして、目は、建物がつづくかぎり、交互にひとつの映像を受け入れてはべつの映像を捨てながら、進んでゆくのである。ここからつぎのことがあきらかとなる。最後の柱において、印象は最初の柱においてと同様に、まったく継続的にはならない。なぜなら、じっさいには感覚器官は最後のものからしかはっきりした印象を受け取らないからであり、それは似ていない印象を自らふたたび帯びるということはけっしてない。さらに、あらゆる対象の変化は視覚器官にとって休息であり弛緩である。そして、これらの休息が崇高を生み出すのに必要な激しい情緒を妨げるのである。だから、これまで述べてきたような事象において、完全な壮大さを生み出すためには、完全な単純さ、すなわち配置、形状、色彩における均一性がなければならないのである。この連続性と均一性の原理に基づいたときに、なぜ長い白壁が列柱よりも崇高にならないのかという疑問が起こってくるかもしれない。なぜなら、そこでは連続性はけっして遮られないし、目は妨害されないし、それ以上に均一なものは考えられないからである。長く白い壁はたしかに、同じ長さと高さの列柱よりも壮大な対象ではないが、この違いを説明するのは難しいことではない。われわれが何の飾りもない壁を見るとき、対象の均一性のおかげで、目は全空間をすばやく流れ、すぐに終わりへと到達してしまう。目はその進行を妨げるものには何も出合わないし、それはつまり偉大で永続的な効果を生み出すのに適切な時間だけ目線を引き止めることがないのである。何の飾りもない壁の光景は、その長さと高さが巨大であれば、疑いなく壮大である。だがそれは単一の観念であって、類似の観念の反復ではない。だから、それは広大さの原理に基づいて偉大なのであって、無限の原理に基づいて偉大なのではない。しかし、われわれはひとつの衝撃からは、それが桁外れの力をもっている場合を除いて、類似の衝撃の連続からほど力強い影響を受けないのである。なぜならば、感覚器官の神経は（そういう表現を用いてよいなら）、原因の作動が終了した後までも継続するような仕方で同じ感情を反復する習慣を身につけてはいないからである。その上、第一一節においても私が期待と驚きに由来するとしたすべての効果は、むき出しの壁の場合には、存在しないのである。

＊第二部第一〇節。

第一四節　暗闇に関するロックの見解についての考察

暗闇は自然な恐怖の対象ではないし、過剰な光は目にとって苦痛の種になるけれども、暗闇の過剰はけっしてそうではないというのがロック氏の見解である。彼はまたべつなところで、乳母や老女がひとたび幽霊や悪鬼を暗闇と結びつけると、それ以降ずっと夜は想像力にとって苦痛と恐怖に満ちたものになると述べている。この偉大な人物の権威はだれよりも大きく、われわれの一般原理の障害となっているように思われる。＊われわれは暗闇を崇高の原因の一つと考えてきたし、同時に崇高は緩和された苦痛と恐怖に依存すると考えてきた。だから、もし幼少期に迷信に染まらなかった心にとって暗闇が苦でも恐怖でもないとしたなら、暗闇は彼らにとって崇高の源泉ではないということになる。しかし、ロック氏の権威に尊敬の念をもってはいるが、私には、より一般的な性質の観念連合、つまり全人類に関わるような観念連合によって、暗闇は恐ろしいものとなるように思われるのである。というのは、完全な暗闇の中では、どの程度の安全の中にいるかがわからないのである。われわれは自分たちが何に取り巻かれているのかわからないし、いつ何時危険な障害物にぶつかるかもしれない。最初の一歩で断崖から落ちるかもしれないし、敵が近づいてきた場合、どの方向を防御すればいいのか分からない。そのような場合、力はたしかな防御にならないし、智恵も推測で動くしかない。もっとも大胆な者ですらたじろぐであろうし、彼が身を守るために何かを求めて祈るとすれば、光しかないのである。

父なるゼウスよ、アカイアの息子たちを、この霧の中から救い出し、
晴れた空を与えたまえ。われらの目で見えるように。
よしんば、われわれを滅ぼすにしても、
日の光の中でそうされんことを。

〔『イリアス』第一七巻六四五〜五七行〕

幽霊や悪鬼との観念連合について言うなら、もともと恐怖の観念であった暗闇がそうした恐ろしい表象に適した場面として選ばれたと考える方が、そうした表象が暗闇を恐ろしいもの

にしたと考えるよりもたしかに自然である。人の心は前者のような錯誤にしばしば陥る。しかし、暗闇のようにいつの時代にも、どこの国でも遍く恐ろしい観念の効果が、一連の他愛もない話や、その性質上かくも些細で作用が気まぐれな原因によってもたらされたと想像することは、きわめて難しいのである。

＊第二部第三節。

第一五節　暗闇はそれ自身の性質によって恐ろしい

調べてみれば、おそらく黒色と暗闇は、あらゆる観念連合と関係なく、その自然な作用によってある程度の苦をもたらすように思われるだろう。私は、暗闇の観念と黒色の観念はほとんど同じものであり、黒色はより限定された観念であるという点だけが異なると言わねばならない。チェセルデン氏〔ウィリアム・チェセルデン、イギリスの外科医、一六八八―一七五二〕は、生まれつき盲目で一三～一四歳まで盲目の状態だった少年に関する奇妙な物語を語っている。彼は白内障のための発竅（はっか）術を施され、そのおかげで視力を回復した。彼の最初の知覚と視覚対象への判断に関しての、注目すべき細部にわたる話の中で、チェセルデン氏は、この少年が最初に黒い対象物を見たときに大いに落ち着きを失ったこと、そしてしばらく後に偶然に黒人女性を見たときに、彼が目にしたものに対する大きな恐怖に打たれたことを語っている。この場合、恐怖が観念連合に由来すると考えることはほとんどできない。報告によれば、この少年は年齢の割には注意深く分別があったそうである。だから、もし黒を最初に見たときに感じた不快感が、他の不快な観念との関係から生じたのであれば、彼はそのことについて語ったり、触れたりしたはずである。というのは、ある観念が観念連合によってのみ不快であるなら、情念に対する悪影響の原因はその第一印象から明白であるはずである。通常の場合、それはしばしば忘れ去られる。その根源的な印象が幼少期につくられ、その結果としての印象がしばしばくり返されるからである。だが、この場合にはそうした習慣が形成される時間はなかったので、より快活な色の快い効果が快適な観念との関係に由来すると考えることができないのと同様に、彼の想像力に対する黒色の悪い効果が不快な観念との関係に由来するとは考えられないのである。おそらく両方とも、それらの自然な作用にその効果の原因をもっているのである。

第一六節　なぜ暗闇は恐ろしいのか

なぜ暗闇が苦を生じさせるような仕方で作用するのかを調べることには意味があるだろう。

光から遠ざかると、遠ざかった距離に比例して、虹彩が外周へと退くことで瞳孔が拡大するように自然によってつくられていることが観察からわかっている。さて、光から少しだけ退くのではなく、光を完全に遮断してしまえば、虹彩の放射状繊維の収縮はそれに応じて強まる。その部分が大きな暗さによって収縮すれば、構成する神経を自然な程度を超えて緊張させ、苦の感覚を生み出す、と考えるのが合理的である。われわれが暗闇に包まれている間、そうした緊張があることはたしかであるように思われる。というのは、そうした状況で目を開いていると、光を受け取ろうと絶え間なく努力するからである。そのことは、そうした状況下でしばしば目前に現れる閃光や光る幻影からあきらかである。それは対象を追い求める目それ自体の努力が生み出す痙攣の効果以外の何ものでもない。多くの機会にわれわれが経験するように、光の実体そのもの以外にも、いくつかの強い衝動が目の中に光の観念を生み出すのである。暗闇を崇高の原因として認める者の中には、瞳孔が拡張することから、痙攣だけでなく弛緩も崇高の原因になりうると推測する者もいるだろう。しかし、思うに、彼らはつぎのことを考慮に入れていないのである。つまり、虹彩の円環組織はある意味では単純な弛緩によって拡張する括約筋であるが、ある点で身体の他のほとんどの括約筋とは異なっていること、つまり、そこには虹彩の放射状繊維という拮抗筋が備わっていて、円環状の筋肉が弛緩するや否や、均衡を求めるそれらの繊維は無理矢理に引き戻され、瞳孔をかなり大きく開くのである。だが、かりにわれわれがこのことを考慮に入れないとしても、暗い場所で目を開いて何かを見ようとしたならば、だれでもかなりはっきりとした苦痛がその後に起こるのを発見するだろうと、私は信じる。私は、何人かの女性たちから、長時間黒い地面の上で働いた後で、目が痛んで弱くなって、ほとんど見えなくなったという話を聞いたことがある。暗闇の効果に関するこの機械的理論に反対して、暗闇や黒色の悪影響は身体的なものではなく精神的なものに見えるという反論があるかもしれない。私もそう見えることは認めるし、われわれの身体システムの繊細な部分の状態に依存するものはみなそうである。悪天候がもたらす悪影響は、精神の憂鬱や落胆にほかならないように見える。だが、この場合、身体器官が最初に痛んで、それらの器官を通して精神が痛むのである。

第一七節　黒色の効果

黒色とは部分的な暗闇にほかならない。だから黒色はその力を、色のついた物体に混じったり取り囲まれたりしていることから引き出す。黒色はその性質上、色と考えることはできない。視覚に関して言えば、光線をほとんどあるいはまったく反射しない黒い物体は、われわれが見る対象の間に点在する多くの空虚な空間としか考えられない。隣接する色彩の作用によって生じるある程度の緊張を保持した後でこれらの空虚に目線を置くとき、それは突然にある弛緩状態に陥り、そこから目はある痙攣的な反動によって回復するのである。それを説明するために、椅子に座ろうとして、その椅子が思ったよりも低くて、ショックがとても大きかった場合を想像してみよう。ひとつの椅子と他の椅子の高さの違いがそれほどないことからすると、考えられないくらいそのショックは激しい。階段を下り切った後で、不注意に前の段と同じように段を踏もうとすると、そのショックはとても激しく不快である。われわれがそれを予期し準備しているときに、同じようにそのショックを生み出そうとしても、どうしてもできないのである。それは予想に反して起こる変化との出会いに由来するのだと言うとき、私は心が予期する場合だけを言っているのではない。どの感覚器官であっても、ある程度の期間に一定の仕方で作用を受けた後、突然に異なる仕方で作用を受けると、ある痙攣的な動きが引きつづいて起こる。それは、心の予期に反してことが起こったときに発生するのと同じ類の痙攣である。通常は弛緩を生み出す変化が、突然に痙攣を生み出すというのは奇妙に思われるかもしれないが、それはたしかであり、どの感覚においても妥当する。睡眠が弛緩であることや、静寂、つまり聴覚器官を活動させせるものが何もないとき、が一般にこの弛緩をもっとももたらしやすいということはだれもが知っている。だが、ある種のかすかな物音が人を眠りに誘うとき、もしその音が突然に止めば、その人は即座に目覚める。つまり、その器官に緊張が強いられることで、彼は目覚めるのである。それは私自身がしばしば経験しているし、注意深い人々から同じことを聞いている。同様に、明るい日光の中で眠りに落ちた人がいる場合、突然にあたりを暗くすれば、暗くしている間、その人の眠りは妨げられるのである。静寂と暗闇は、突然にもたらされたのでなければ、それ自体は睡眠にとって都合のいいものではあるのだけれども。私がこうした報告を最初に聞き知ったときには、諸感覚の類比のみによって理解したのだが、その後私自身がそれを経験したのである。私自身、そして何千という者が経験していることだが、最初に眠りに落ちそうになるとき、われわれは激しい驚きとともに突然に目覚めることがある。そして、この驚きはたいていの場合、われわれが崖から落ちるような類の夢に引きつづいて起こるのであり、その夢から奇妙な動きが発生するのである。だが、この不思議な動きが、あまりに急激な弛緩以外の何かから生じうるのだろうか。身体は、自然なメカニズムに基づいて、筋肉の収縮力を急速かつ活発に発揮することで、その急激な弛緩から自らを回復しようとするのである。その夢自体もこの弛緩から生じるのであり、それ以外の原因を考えるにはあまりに画一的すぎるのである。身体器官があまりに突然に弛緩することは、性質上は落下と同様であり、身体上のそうした出来事が精神の中に落下のイメージを誘発するのである。われわれが健康と活力においてしっかりとした状態にある場合には、それらの変化はそれほど急激でも極端でもないので、そうした不快な感覚に対して不平を洩らすことはほとんどないのである。

第一八節　黒の効果の緩和

黒色の効果はもともと苦痛をもたらすものであるが、それがつねに持続すると考える必要はない。われわれは習慣によって、あらゆるものと和解することができる。黒い物体を見ることに慣れてしまえば、恐怖は緩和されるし、色が黒くても滑らかさや光沢といった快適な付随的性質が、もともとの恐ろしく厳しい性質をいくぶんか和らげるのである。だが、根源的な印象は依然として持続する。黒色には何かしら憂鬱さがあるのだが、それは他の色から黒色への変化はつねに感覚器官にとってあまりに激しいものだからである。もし、黒色が視覚の全領域を占めてしまえば、それはすなわち暗闇であり、暗闇について述べたことがここでも当てはまるだろう。私はここで光と暗闇の効果に関するこの理論を説明するであろうすべての細部に立ち入るつもりはないし、この二つの原因のさまざまな緩和や混合によって生み出される異なった効果を検討するつもりもない。もし、これまでに述べたことが自然に基礎をもっているならば、黒色と他の色のすべての結合に由来するすべての現象を説明するのに、それで十分だろうと考えている。あらゆる細部に入り込み、あらゆる反対論に答えることは、際限のない仕事になってしまうだろう。われわれはこれまでもっとも主要な道筋にしたがって来ただけであるし、美の原因の探求においても、同様に振る舞うことにしよう。

第一九節　愛の身体的原因

愛と満足を喚起する対象を目の前にするとき、私に観察できたかぎりでは、おおよそ以下のような仕方で身体に作用がある。頭はどちらか一方に傾き、瞼は通常よりも閉じぎみになり、目は対象の動きにしたがって優しく動き、口は少し開いて、息はゆっくりと吸い込まれ、ときおり低いため息になる。身体全体は落ち着いて、両手は脇にだらりと垂れ下がる。それに安らぎと倦怠の内的な感覚が伴う。こうした外見は、対象の美しさと観察者の感受性の度合いに比例する。美と感受性の最高潮から凡庸と無関心の最底辺に至る階梯とそれに対応する効果が存在するということが、つねに念頭に置かれるべきである。さもなければ、上の描写は決して誇張ではないのに、誇張のように見えてしまう。だが、こうした様子から考えるなら、美は身体全体のシステムの固い組織を弛緩させることで作用するという結論を下さずにいることは、ほとんど不可能だろう。そうした弛緩を示すあらゆる外見が存在する。そして、自然な調子をいくぶん下回る弛緩が、すべての積極的な快の原因であると、私には思われるのである。快によって和らげられ、弛緩し、柔弱となり、動転し、優しい気もちになるという、あらゆる時代と国に共通な気もちの表現の仕方に馴染みのない者がいるだろうか。感情に忠実な人類共通の声は、一致してこの共通で一般的な効果を確認している。かりに、かなりの程度の快がありながら弛緩の特徴が見られないという奇妙で特殊な例外があったとしても、だからといってわれわれは多くの一致する実験から引き出された結論を退けるべきではなく、むしろその結論を維持し、ニュートンが『光学』第三巻で定めた賢明な規則にしたがって例外を付記事項とすべきなのである。もし、われわれがすでに美の真の構成要素であると述べたものが、身体繊維を弛緩させる自然な傾向をそれぞれに有していることを証明できるなら、われわれの立場は、あらゆる合理的な疑念を超えて裏づけられると思われる。そして、それらすべての美の構成要素が感覚器官を前にして結合したときの人間の身体の様子が、われわれの意見をさらに後押しすることが認められるならば、われわれは思い切って、愛と呼ばれる情念はこの弛緩によって生み出されると結論してもいいだろうと信じる。崇高の原因を探求したさいに用いたのと同じ推論方法によって、われわれは同様に以下のように結論できるだろう。つまり、感覚に対して提示された美しい対象が、身体に弛緩を生じさせることによって心の中に愛の情念を生み出すのと同様に、何らかの方法で最初にその情念が心の中に発生すれば、外的器官における弛緩が、その原因の程度に応じて、確実に生じるだろうということである。

第二〇節　滑らかさはなぜ美しいのか

私が他の諸感覚の助けを要請するのは、視覚における美の原因を説明するためである。かりに滑らかさが触覚、味覚、臭覚、聴覚における快の主要な原因であるように思われるなら、それが視覚における美の構成要素であることはたやすく認められるであろうし、すでに示したように、とくにこの滑らかさという性質が、一般的同意によって美しいと考えられている物体中に例外なく見出されるということも、たやすく認められるであろう。粗く角張った物体が感覚器官に興奮と痙攣を与え、筋肉繊維の緊張と収縮に由来する苦の感覚の原因となるということに疑いはない。それに対して、滑らかな物体を当てると身体は弛緩する。滑らかな手で優しくなでることで、激しい痛みと引きつりは緩和するし、不自然な緊張によって苦しんでいる身体部分は弛緩する。それはまた、非常にしばしば腫れや閉塞を取り除くのに、少なからざる効果を発揮する。触覚は滑らかな物体に大いに満足する。滑らかで柔らかく敷かれたベッド、すなわち、あらゆる点で抵抗がほとんどない場所、は大いなる贅沢であり、それは全体的な弛緩につながり、他の何にも増して睡眠と呼ばれる弛緩の一種へと誘うのである。

第二一節　甘さ、その性質

滑らかな物体が弛緩によって積極的な快を生み出すのは、触覚においてだけではない。味覚や臭覚においても、それらにとって快適であり一般に甘いと呼ばれているものはすべて滑らかな性質をもっていること、またそれらはすべて対応する感覚器官にあきらかな弛緩をもたらすということを、われわれは知っている。まず味覚について考えてみよう。液体の属性を調べることはもっともかんたんで、しかも、あらゆるものはそれを味わうためには液体の媒体を必要とするのであるから、私は食品の中でも固体ではなく液体について考察を進めようと思う。あらゆる味覚の媒体は水もしくは油である。味を決定するのは味覚に作用するいくつかの物質である。そうした物質は、それ自体の性質と、それが他のものと結びつく仕方に応じて、さまざまに作用する。単純に考えるなら、水と油は味覚に対して快を与えることができる。水はそれだけなら無味、無臭、無色でかつ滑らかである。水は冷たくなければ痙攣を大いに緩和し、身体繊維の潤滑剤となる。その力はおそらく水の滑らかさに由来している。というのは、もっとも一般的な見解によれば、流動性は、物体の構成部分の丸さ、滑らかさ、凝集力の弱さに依存しているからである。そして、水は単純な液体としてのみ作用するので、その流動性の原因、つまりその部分がもつ滑らかさと滑りやすい性質、が同じように弛緩をもたらす性質の原因であると結論することができる。もうひとつの味覚の流動的な媒体は油である。これもまた、それだけなら無味、無臭、無色であり、触覚と味覚にとって滑らかである。油は水よりも滑らかであり、多くの場合、より大きな弛緩をもたらす。油は無味であるにもかかわらず、視覚、触覚、味覚にとってそれ自体である程度快適である。水は油ほど快くはないわけだが、水は油ほど柔らかく滑らかではないということ以外にどのような原理に基づいてこの事実を説明すべきか、私にはわからない。さて、水もしくは油に、舌の神経組織である味蕾に優しい振動を引き起こす力をもった一定量の特定の物質を加えたとしてみよう。つまり、その中に砂糖が溶け込んだとしてみよう。油の滑らかさとそうした物質のもつ振動を呼び起こす力が、いわゆる甘さの感覚を引き起こすのである。すべての甘い物体には、砂糖もしくは砂糖と非常に似かよった物質が見出される。味覚に作用するあらゆる種類の物質を顕微鏡で見ると、それぞれが独特で規則的で不変のかたちをもっていることがわかる。ニトロの結晶はとがった楕円形であり、海の塩の結晶は正確な立方体であり、砂糖の結晶は完全な球体である。男の子たちが遊びに使うおはじきのような滑らかな球体が、前後にあるいは上下に転がした場合に触覚に対してどのように作用するかをためしてみるなら、そうした性質をもつ結晶に存する甘さが、いかに味覚に作用するかということをかんたんに想像することができるだろう。というのは、単一の球体（それは触覚にとっていくぶん心地よくはあるが）は、その形態の規則性やそのかたちが直線からいくぶん急激に曲がっていることなどのために、いくつかの球体に手を触れて、手が優しくひとつのものに上がってゆき、べつなものに下りてゆくような場合ほど、触覚にとって心地よくはないのである。そして、その快は、球体が動いていてお互いに擦れ合っている場合にとても大きくなるのである。なぜなら、その柔らかな多様性によって、それがなければ複数の球体の規則的な動きによってもたらされたであろう退屈さが、妨げられるからである。こうして、甘い液体においては、流動的な媒体の部分は、おそらくは丸いのだが、あまりにも微小であるので、もっとも精妙な顕微鏡の精査によっても、その構成要素のかたちをとらえることはできない。また、結果として、それらは極端なまでに微小であるので、たんに滑らかなだけの物体を触覚に当てた場合に似た、ある種の平板な単純さを味覚にもたらすのである。というのは、ある物体が、極端なまでに小さな丸い部分がきつく密集してできている場合、その表面は視覚にとっても、触覚にとっても、ほとんど平板で滑らかなように感じられるからである。顕微鏡でそのかたちをあきらかにすればわかることだが、砂糖の粒子は水や油のそれに比べて大きく、結果としてその丸さから来る効果は、舌という精妙な器官にある味蕾の神経にとってより明確でわかりやすいのである。それは甘さと呼ばれる感覚を引き起こす。その感覚は、より弱いかたちで油に見出され、さらに弱いかたちで水に見出される。というのは、無味であるとはいえ、水と油はある程度は甘いのであり、また、あらゆる種類の無味の物質は他のどんな味よりも甘さの性質に近づいてゆくと言えるのである。

第二二節　甘さは弛緩をもたらす

他の感覚器官においても、滑らかさは弛緩をもたらすとすでに述べた。いまや、味覚における滑らかさである甘さもまた、弛緩をもたらすことがあきらかなはずである。いくつかの言語においては「柔らかい」と「甘い」がひとつの言葉であることは注目に値する。フランス語の doux は「甘い」と「柔らかい」の両方を意味する。ラテン語の dulcis とイタリア語の dolce も多くの場合、同様に二つの意味をもつ。甘いものが一般に弛緩をもたらすということは明白である。なぜならば、甘くて油っこいものを頻繁にあるいは大量に摂取すると、胃の調子をひどく弱めるからである。甘い味わいと大いなる類似性をもっている甘い匂いが弛緩をもたらすことは、とても顕著である。花の甘い匂いは、人々に眠気をもたらす。その弛緩効果は、神経の弱い人たちがそれを用いたときに受ける強い作用からも、さらにあきらかとなる。この種の味わい、すなわち甘い味わいや滑らかな油や味覚に作用して身体を弛緩させる物質がもたらす味わいが、根源的に快い味わいであるかどうかを調べることは、意味があるだろう。なぜなら、習慣によって快くなるものの多くは、最初はまったく快適ではないからである。それを調べる方法は、自然が疑いもなく根源的に快いものとしてわれわれに与えたものを吟味し、それがもつ属性を分析することである。乳は子供時代の糧である。その成分は水と油と乳糖と呼ばれるある種のとても甘い物質である。これらが混ぜ合わせられると味覚にとっての大いなる滑らかさとなり、皮膚に弛緩をもたらす性質となる。つぎに子供が求めるものは果物であり、それは主として甘い果物である。果物の甘さは、微妙な油と前節で触れたような類の味覚に作用する物質によって生み出されることはだれでも知っている。その後、慣習、習慣、好奇心その他の多くの原因によって、われわれの味覚は混乱し、不純となり、変化する。その結果、われわれはもはや満足して本来の味覚について考えることができなくなるのである。この項目を離れる前につぎのことを述べておかなければならない。つまり、滑らかなものが本来味覚にとって快適で、弛緩をもたらす性質をもつのに対して、経験的に強壮効果をもち、身体繊維を引きしめる作用をもつものは、ほとんどつねに粗く、味覚にとって刺激的で、多くの場合、触覚にとっても粗いということである。われわれはしばしば隠喩的に甘い性質を視覚対象に当てはめる。諸感覚の間のこの目覚ましい類比をよりよく進めるために、ここで甘さを味覚上の美と呼んでいいだろう。

第二三節　変化はなぜ美しいのか

美しい対象のもうひとつの属性は、その構成部分の線が絶えずその方向を変えるということである。だが、その変化は気づかないほどのものであって、驚くほど急激に変化することはけっしてないし、その角度の急激さによって視神経に引きつりや痙攣をもたらすこともない。同じ調子で長くつづくものや、急激に変化するものが美しいということはありえない。なぜなら、両方とも美の特徴的な効果である快適な弛緩の対極だからである。このことはすべての感覚に当てはまる。直線的な動きは、とてもゆるやかな下降についでもっとも抵抗にあうことが少ないが、下降に比べるとはるかにわれわれを飽き飽きさせるのである。休止はたしかに弛緩をもたらすが、休止よりも弛緩をもたらす種類の動きがある。それは、優しい左右や上下の動きである。優しく揺り動かした方が、完全に静止させるよりも子供をよく寝かしつけることができる。その年頃では、優しく上下に動かすこと以上に快を与える動きはじっさいにほとんど存在しない。乳母が子供たちをあやすさいの動きや、その後に子どもたちが自ら楽しんで、ぶら下がったり揺れ動いたりすることを好むという事実が、十分に証明している。ほとんどの人は、緩やかな起伏のある芝地を安楽な馬車に乗って素早く引かれてゆくさいの感覚を経験したことがあるはずである。それは他の何よりも美の観念をよりよく伝え、また、そのたしかな原因をよりよく指し示している。それに対して、粗く石だらけででこぼこした道を急いでゆくときに、その急な起伏から感じる苦は、類似した景色や感触や音が、なぜ美の反対物となるのかを示している。触覚に関して言うなら、たとえば、あるかたちの物体の表面に沿って手を動かしたり、そうした形の物体を手に沿って動かしたりした場合に、同様のあるいはきわめて近い効果を得ることができる。だが、この諸感覚間の類比を目に当てはめてみよう。もし、光線を最強から最弱へと気づかないほど微妙に変化させせなから反射するような、波打つ表面をもった物体を目前に提示されたなら（なだらかに変化する表面をもつものはつねにそうである）、視覚と触覚に対する効果はきわめて類似したものになるに違いない。後者に対する作用は直接的であり、前者に対する作用は間接的であるけれども。もし、表面を構成する線が、大いに変化していて、注意力を飽きさせ散漫にしてしまわないような仕方で継続していれば、その物体は美しい。変化それ自体も絶えず変化していなければならないのである。

第二四節　小ささについて

同じ理屈や同じ性質の説明を頻繁にくり返すことから生じる単調さを避けるために、私は、美の量に関する傾向や量そのものについて見出されるあらゆる細部に詳しく立ち入ることはしないつもりである。物体の量に関して言うことには大いなる不たしかさが伴う。というのは、大小の観念は、対象の種類に応じた、まったく相対的なものであり、その対象の種類には限りがないからである。対象の種類とその種類に属する個物に共通な大きさを確定した後なら、たしかにわれわれは、通常の基準を超過したものや規準に達しないものを見つけることができるだろう。その種類自体があまり小さくない場合、大きく標準を超過したものは、その超過ゆえに、美しいというよりはむしろ偉大で恐ろしいものとなる。しかし、動物界においては、そして植物界においてもかなりの程度そうであるのだが、美を構成する要素が容積的に大きなものと結びつくことがある。それらが結びついたときには、それは崇高とも美とも異なる新たな種を構成する。私はそれを立派である（fine）と呼ぶ。だが、この種のものは、巨大なものがそれに対応する崇高な性質を帯びたとき、もしくは美の性質が小さな対象と結びついたときほど、情念に対して大きな力をもたないと考えられる。美という戦利品で飾られた巨大な物体が生み出す効果は、絶えず緩められる緊張であり、それは性質として中庸に近づく。だが、そのような機会に私自身がどのように感じるかに関して言うなら、崇高なものが美の性質と結びついても大して損なわれることはないが、美が量の大きさやその他の崇高の属性と結びつくと、その効果は大きく減じることになる。われわれに畏怖を呼び起こすものや、遠く離れた恐怖に属するものにはすべて、圧倒的な何かが存在しているので、それらの前ではその他のものは存続することはできないのである。そこでは美の性質は、消えてしまうか無効になるか、あるいはせいぜい偉大さの自然な付随物である恐怖の過酷さと厳しさを和らげるだけである。あらゆる種における異常な大きさに加えて、その反対物である矮小性と短小性について考察すべきだろう。たんなる小ささそのものには、美の観念に反するものは何もない。鳥の中で最小のハチドリは、そのかたちと色彩において、他の鳥類に劣ることはないし、おそらくその美しさは小ささによって増しているのである。だが、並外れて小さいために、美しいということが（かりにあっても）めったにないという種類の動物がいる。その背丈に対して、ほとんどいつも体格ががっちりし、ずんぐりしているがゆえに、われわれに不快な感じを与える、並外れて小さな男女がいる。しかし、たとえ身長が二〜三フィートを超えない男性でも、その身長に適合するすべての繊細な身体部分をもっているなら、またそうでなくても他の美しい身体と共通の諸性質を与えられているなら、そうした体軀の者でも美しいと見なされ、愛の対象となり、見たときに非常に快適な観念をわれわれに与えることがあると私は強く確信している。われわれの快を妨げるようなかたちで介在する唯一の場合というのは、そのような者たちが、どのようなかたちであれ異常であり、それゆえにしばしば怪物的であると考えられるような場合である。大きく巨大なものは、崇高とはきわめて両立しやすいけれども、美とは対立する。巨人が愛の対象となることはありえない。ロマンスの中でわれわれが想像力を解放するときに、そうした大きさと自然に結合する観念は、専制、残酷さ、不正、そしてあらゆる恐ろしく忌まわしいものの観念である。われわれは国を荒らし、無垢な旅人から略奪し、彼の生きた肉を貪り食う巨人を絵画に描く。ロマンスや英雄詩で大きく取り扱われるポリュフェモスやカークスらはそうした者たちである。われわれが大いに満足して注意を払う出来事は、彼らの敗北と死である。『イリアス』の中で数多くみられる多くの死の場面の中で、目覚ましいまでに巨大な体軀と力をもった者の死がわれわれに憐憫の情を喚起したことは記憶にないし、人間性にあれほど精通していた作者がそもそもそれを狙ったということも考えられない。その早すぎた死によってわれわれの涙を誘うのは、優しい若さの盛りに両親から引き離され、その力に似合わぬ勇気で打ち震えるシモイシウスであり、若く美しい花嫁を抱擁する間もなく戦によって急き立てられたもうひとりの戦場での新参者である〔『イリアス』第一一巻に登場するイピダマス〕。ホメロスが外見に与えた多くの美的な性質と内面を飾った多くの偉大な徳にもかかわらず、われわれはアキレスを愛の対象とは考えない。ホメロスは、トロイ人たちの運命に対するわれわれの同情をかき立てるために、ギリシャ人たちに対してよりもトロイ人たちに対して、かぎりないほどにより多くの愛すべき社交的徳を割り振っている。トロイ人たちに対してホメロスが喚起しようとした情念は憐みである。憐みは愛に基づく情念である。これらの劣位の、こう言ってよければ、平凡な徳はもっとも愛すべきものである。だが、彼はギリシャ人たちを、政治的、軍事的徳において、トロイ人たちよりもはるかに優位にあるものとした。プリアモスを補佐する重臣たちは脆弱で、ヘクトールの武芸は比較的弱く、その勇気は遠くアキレスにおよばない。それにもかかわらず、われわれはアガメムノンよりもプリアモスを、また、彼を打ち負かしたアキレスよりもヘクトールを、愛する。ホメロスがギリシャ人たちに関して喚起しようとした情念は賞讃であり、ホメロスはギリシャ人たちに愛とはほとんど関係のない徳を与えることで、それを実現しているのである。この短い脱線は、われわれの目的から大きく外れてはいない。なぜなら、ここでのわれわれの目的は、巨大な容積をもった対象は美と両立しないと証明することだからである。それが大きくなるほど、両立不可能となる。だが、かりに小さなものが美しくないとしても、その原因をその小ささのせいにすることはできないのである。

第二五節　色彩について

色彩に関する探究はほとんどかぎりないものとなるが、この第四部の最初で確立した原理は、すべての色彩の効果や、それと並んで、液体であれ固体であれ、透明な物体のもつ快適な効果を説明するのに十分であると、私は考える。青や赤の色のついた濁った液体が入った瓶を手に取ったとしよう。青や赤の光線は目にはっきりと届くことはなく、微小で不透明な物体の介在によって、突然かつ不均等に遮られる。そのことによって観念は準備なしに変化するし、またそれは、第二四節で確立した原理にしたがって、不快な観念へと変化するのである。しかし、ガラスや液体が透明な場合に、光線がそうした抵抗なしにガラスや液体を通過すると、その通過によって光線は和らげられ、光線自体がより快適なものとなる。そして、液体がその色に含まれるすべての光線を均等に反射することで、その液体は、滑らかで不透明な物体が目や触覚に対して与えるような効果を、目に与えるのである。だから、ここでの快は、通過するものの柔らかさと、反射される光の均等性が混合したものなのである。もし、その透明な液体を入れた容器が、こうした種類の事象の性質に関する判断と合致するようなあらゆる変化を伴って、漸進的で交錯する色彩の強弱を示すように絶妙に変化するならば、他の事柄と共通な原理によって快は高まるだろう。崇高と美の原因と効果に関してこれまでに述べたことを総括するなら、以下のようになるだろう。つまり、崇高と美はまったく異なった原理に基づいていて、それらが喚起する情動もまた異なる。偉大なものは恐怖に基づいており、恐怖は緩和された場合には驚愕と呼ばれる情緒を精神の中に引き起こす。美は積極的な快に基づいており、愛と呼ばれる感情を魂の中に引き起こす。それらの原因がこの第四部の主題であった。

第五部

第一節　言葉について

自然物がわれわれに作用するのは、物体の運動や形状と、それが心の中にもたらす感情との間に、神の摂理が定めた関係性の法則によっている。絵画は同様の仕方によって作用するが、そこには模倣の快がつけ加えられる。建築物は自然の法則と理性の法則によって作用し、後者から均整の法則が生まれる。その建築物が設計の目的に適切に応えているかどうかに応じて、全体的あるいは部分的に賞讃されたり非難されたりするのは、その均整の法則によってである。しかし、言葉に関して言うなら、自然物や絵画や建築物とはとても異なった仕方によって、われわれに作用するように思われる。だが、言葉はそれらと同等に、ときにはそれらよりも大きく、われわれの中に崇高や美の観念を喚起する働きをもっている。それゆえ、いかにして言葉がそうした情緒を喚起するのかという点についての考察は、この種の論考においては、大いに必要なものである。

第二節　詩の一般的な効果は事物の観念を喚起することによるのではない

詩や雄弁の力、あるいは日常的な会話における言葉の力に関する一般的な考え方によれば、言葉は習慣によって表象するように定められた事物の観念を心の中に喚起することによって、心に作用する。この考え方の正当性を吟味するために、言葉はつぎの三種類に分類できるということを述べる必要があるだろう。第一の種類は、あるひとつの明確な構成物を形成するために、自然によって結合された多くの単純観念をまとめて表象するものであり、たとえば人間、馬、木、城といった言葉である。わたしはそれらを集成語（aggregate words）と呼ぶ。第二は、赤、青、丸、四角といった、そうした構成物の中のひとつの単純観念だけを表すものである。わたしはそれらを単純抽象語（simple abstract words）と呼ぶ。第三は、それら両方が恣意的に結合すること、もしくはそれらのさまざまな関係が大なり小なりの複雑さをもって結合することによって形成されるものである。徳、名誉、説得、治安判事、などがそれにあたる。私はそれらを複合抽象語（compound abstract words）と呼ぶことにする。言葉をもっと緻密に分類できるということは私も知っているが、この三つの分類はもっとも自然で、現在の目的にとって十分である。その三つは人が言葉を学習する順序、そしてそれらが表す観念を心が理解する順序に並べられている。私は第三番目の、名誉、説得、従順さといった複合抽象語から始めることにしよう。それらについて言うなら、情念に対してどのような力を発揮しようとも、その力は、言葉が表す事物の観念の表象が、心の中に喚起されることに由来するのではないのはたしかである。それらは構成物であって、実在的な本質ではないし、実在的な観念を呼び起こすことはほとんどないと私は考える。徳、自由、名誉といった音を聞いて、複合観念や単純観念、またはそれらの言葉が表すいくつかの関係性を伴った特定の行動や思考の明確な様式の概念を思い浮かべる人はいないと私は信じる。さらに、それらが複合した一般的な観念をもつこともない。というのは、もし人が何らかの観念をもつとしたなら、たとえ不明瞭で混乱しているにしても、いくつかの特定の観念がすぐに知覚されることになるだろうからである。しかし、そうしたことが起こるとは思われない。なぜなら、それらの言葉のひとつを分析してみるといい。何らかの実在的観念が浮かび上がってくる前に、また、そのような構成物の第一原理のようなものを発見する前に、予想したよりもはるかに長々と、それをまず一連の一般語から一般語へと、つぎには単純抽象語と集成語へと還元してゆかなければならない。そして、もとになった観念を発見するころには、そうした構成物の効果はまったく失われてしまう。この種の一連の思考は、日常的な会話の中で辿るにはあまりにも長すぎるし、また辿る必要もまったくない。そのような言葉はたんなる音にすぎない。しかし、それらの音は、われわれが善を享受したり悪を被ったり、他の人々が善や悪の作用を受けるのを見たりする特定の機会に用いられるし、それらの音が、他の興味深い事物や出来事に適用されたり、習慣によってそれらが属することをわれわれが知っているさまざまな場合に適用されるのを耳にする。その後、それらの音がだれかの口に上るときはいつでも、そうした機会と同様な効果を精神の中に生み出すのである。その音はしばしば特定の機会に関係なく用いられながらも、なおかつ最初の印象を伝達するが、ついにはそれを生み出した特定の機会との関係をまったく失ってしまう。それでも、その音は、付随する概念との関係なしに、以前と同じように作用しつづけるのである。

第三節　観念に先立つ一般語

ロック氏はいつもの明敏さをもってつぎのように述べている。つまり、ほとんどの一般語——とくに徳と悪徳、善と悪に関するもの——は、それらが表す行動様式が精神に対して示される前に、その一方への愛着と他方への憎悪とともに、教え込まれるのである。なぜなら、子供の精神はとても従順なので、乳母や子供を取り巻く大人は、どんな事柄やどんな言葉に関しても、満足や不満を見せることで、子供の気質に似かよった傾向を与えることができるのである。後に人生のいくつかの出来事がそれらの言葉に当てはめられるようになると、快いものが悪の名の下に現れ、本性にとって不快なものが善や徳と呼ばれる場合が生じる。観念や情動の奇妙な混乱が多くの者の精神に生じ、概念と行動の間に小さからぬ矛盾が現れる。偽善や衒いからではなく、本当に徳を愛し悪徳を憎みながら、非常にしばしば悪く非道な行いをし、しかもまったく後悔の念をもたない多くの者たちが存在する。なぜなら、もともと他人の息吹で熱せられた言葉によって徳に対する情念が熱く動かされたときには、そうした特定の状況は視野に入っていなかったからである。また、同じ理由で、ある程度心を動かされることなしに、ある一連の言葉――それら自体では何の作用ももたないことが認められていようとも――を反復することは難しいし、たとえば「賢明」、「勇壮」、「寛大」、「善」、「偉大」といった言葉に、熱く感動的な声の調子が伴う場合にはとくにそうである。これらの言葉は、適用されなければ機能しないはずである。しかし、一般に重大な状況に対してのみ用いられる言葉が使われるとき、われわれはそうした状況なしでも、それらの言葉によって大いに心動かされるのである。一般的に重大な状況に適用される言葉が合理的な見通しのないまま、あるいはお互いに整合性を欠いたまま、結合されると、その文体は大言壮語と呼ばれることになる。言語のそうした力から身を守るために、大いなる良識と経験が必要になる場合がある。というのは、文体の適切さが無視されてしまえば、感情に訴えるそれらの言葉が数多く用いられるようになり、それらが多様なかたちで好き勝手に結びつけられてしまうからである。

第四節　言葉の効果

言葉がもてる力を十全に発揮するためには、三つの効果が聞き手の心の中に起こるはずである。第一は音であり、第二は映像もしくは音が意味する事物の表象であり、第三に音と映像の両方あるいはどちらかによって生み出される情動である。われわれが論じた複合抽象語（名誉、正義、自由など）は第一と第三の効果は生み出すが第二の効果は生み出さない。青、緑、熱い、冷たいといった単純抽象語は、偶然それらに付随しているかもしれない他の観念に対して注意を逸らすことなく、あるひとつの単純観念を意味するために用いられる。単純抽象語は言葉の三つの役割を果たすことができる。同様に、人間、城、馬といった集成語はもっと高い程度でそれができる。しかし、私の考えでは、これらの言葉でさえ、そのもっとも一般的な効果は、想像力に対してそれらが表象するであろういくつかの事物の映像を形成することから生じるのではないのである。なぜなら、自分自身の心を熱心に観察しても、あるいは他人にそれをさせた場合にも、そうした映像が形成されるのは二〇回に一回もなく、形成される場合には、一般にそのために想像力が特別な努力を払っているのである。つまり、集成語は、複合抽象語について私が述べたように、精神にイメージを提示することによってではなく、もとのイメージがじっさいに見られたときに発揮していた効果と同じ効果を、習慣によってその言葉が用いられただけで発揮することによって、作用しているのである。つぎのような文章を読んだと想像してほしい。「ドナウ川は多湿で山がちな中央ドイツに水源をもち、あちこちで曲がりくねりながらいくつかの公国に水を供給する。ついにはオーストリアに入り、ウィーンの岩壁を離れてハンガリーに入る。サヴァ川とドラヴァ川に合流して川幅を広げ、キリスト教圏を離れて、タタール地方に境を接する蛮族の国々を流れて、数多くの河口から黒海に流れ込む」。この記述の中では、山々、川、街、海といった多くの事物が言及されている。だが、だれでもいいから自分を振り返って、川、海、湿った土壌、ドイツといった映像が、想像力に刻印されたかどうかをたしかめてほしい。じっさい、会話における急速で素早い言葉の連続の中で、言葉の音と表象された事物の両方の観念を思い浮かべるのは不可能である。それに加えて、実在的本質を表す言葉の中には、他の一般的で唯名的な意味をもつ言葉とあまりに混じり合っているものがあるので、人生の目的に応えるようなかたちで意味から思考へ、個別から一般へ、事物から言葉へと跳躍することは不可能であるし、そうする必要もないのである。

第五節　イメージを喚起することなく言葉が作用するいくつかの例

私は、観念をもたらさない言葉によって情念が作用を受けるということを何人かに納得させようとして、大いなる困難を感じているが、通常の会話において、話の対象となっている事物のイメージを喚起しなくても十分に理解してもらえるということを納得させるのはさらに困難である。心の中に観念をもっているかどうかということは、だれと議論する場合でも奇妙な話題である。一見だれでも、それに関しては上告することなく、自分の内部の法廷で判断を下せるはずである。しかし、奇妙に思われるだろうが、事物に関してどのような観念をもっているのか、あるいはわれわれはある対象に関してそもそも観念をもっているのかということを、しばしばまったく知ることができないのである。この点に関して十分に納得するためには、大いなる注意力が必要とされる。このことを書いて以降、私はある可能性に関する二つの衝撃的な実例を知ることになった。つまり、人は言葉が表象する事物について何の観念ももたずにいくつかの言葉を聞き、その後でそれらの言葉を、新しいやり方で結合し、しかも実に適切で活力と示唆に富んだかたちで、ふたたび他者に投げ返すことができるという可能性である。最初の実例は、生まれつき盲目の詩人ブラックロック氏〔トマス・ブラックロック、スコットランドの詩人、一七二一―九一〕である。完璧な視力を備えた者であっても、この盲目の人物ほどに視覚対象を生き生きと適切に描ける者はほとんどいない。それは、彼が描く対象に関して、他の人々が一般にもっているよりも明確な概念を彼がもっていることが原因ではありえない。スペンス氏〔ジョゼフ・スペンス、イギリスの批評家、オックスフォード大学詩学教授、一六九九―一七六八〕はこの詩人の作品集に付した格調高い序文の中で、この驚くべき現象の理由に関して、とても見事に、そして私が思うに大筋においてきわめて正当に、推論している。だが、それらの詩に見られる不適切な言語と思想は、視覚対象に関するこの盲目の詩人の不完全な概念から来ているという彼の意見には、完全には同意できない。なぜなら、そうした、あるいはもっと大きな不適切さは、ブラックロック氏よりも高い資質をもち、さらに完全な視力をもった作家においても見られるからである。この詩人は疑いなく、どんな読者にも劣らず、彼自身の記述によって心動かされているわけだが、強烈な熱狂をもって彼を動かしたのは、それに関してたんなる音以上の観念を彼がもたず、またもつことももできないような事物なのである。だとしたら、彼の作品を読んだ者が、彼と同じ仕方で、記述されている事物の本当の観念をほとんどもたずに、心動かされるということは、ありえるのではないだろうか。第二の例は、ケンブリッジ大学の数学教授ソンダーソン氏である。この学識ある人物は、自然哲学、天文学、そして数学的知識に基礎をもつあらゆる学問を習得していた。もっとも驚くべき、そして私の目的にかなう事実は、彼が光と色彩に関して優れた講義をしたことである。この人物は他の人々に、彼らがもっていて、彼自身は疑いなくもっていない観念の理論を教えたのである。しかし、赤、青、緑といった言葉が、色彩の観念と同様に、彼の目的にかなっていたということはありえる。というのは、屈折性の大小といった観念がこれらの言葉に適用されており、この盲目の人物はその他の点でも観念の一致不一致ということを教えられていたわけだから、あたかも彼がそれらの観念に精通しているように、それらの言葉に関して推論することは容易だったのである。じっさい、実験において彼が新しい発見をできなかったということは認めねばならない。彼が行ったことは、われわれが日常の中の一般的な談話において行っていることにほかならない。私がこの最後の文の中で日常と一般的な談話という言葉を使ったとき、時の経過やお互いに会話する人々のイメージを心の中で思い浮かべなかったし、それを読んだ読者がそのような観念をもつだろうと想像してもいない。また、私が屈折という言葉だけでなく、赤、青、緑という言葉を使ったときに、それらの色彩や、異なった媒体を通過した光線がその進路を変える様子を、イメージとして思い描くことはなかった。私は、人の心というものが、そうしたイメージを思いのままに描く能力をもっていることをよく知っている。だがそれには意志の行為が必要となるし、日常の会話や読書の中でそうしたイメージが心の中に喚起されることはめったにないのである。「私は来年の夏にイタリアへ行く」と言えば、理解してはもらえる。だが、その言葉によって、発話者が、陸路、水路、あるいはその両方で、ときに馬に乗り、ときに馬車に乗って行く正確な姿を、旅のあらゆる細部とともに想像力の中で思い浮かべる者はいないだろうと私は信じる。行こうとしている国であるイタリアについての観念はなおさらない。夏という言葉が代用するその国の緑、熟れた果実、空気の暖かさ、季節の移り変わりなどに関しても同様である。だが、もっともイメージ化が不可能であるのは来年のという言葉である。というのは、その言葉は多くの夏からひとつだけを除いて残りを排除することを表しているが、来年の夏と言った人は、夏の連続や排除のイメージを心に抱いてはいないのである。つまり、一般に抽象的と呼ばれ、そもそもそれに関するイメージの形成が不可能な観念だけでなく、個別的実在物に関しても、われわれは想像力の中にそれらの観念を呼び起こすことなく、会話をしているのであるが、それは注意深く自分自身の心を吟味すれば、きっとあきらかになるのである。じっさい、詩はその効果について可感的なイメージを喚起することにほとんど依存していないので、もし、すべての記述がその必然的な結果として可感的なイメージを喚起するのであれば、詩はその活力の大部分を失ってしまうだろうと私は確信している。なぜなら、もし可感的なイメージがつねに喚起されるのであれば、すべての詩的な手段の中でもっとも強力である感動的な言葉の結合は、その適切性や一貫性とともに、その力をしばしば失うことになるだろうからである。おそらく、『アエネーイス』全巻の中で、エトナ山におけるウルカヌスの洞窟とそこで行われている仕事の描写ほど、壮大で工夫が凝らされた部分はないだろう。ウェルギリウスは、キュークロープスの鉄槌の下で未完成の雷がつくられてゆく様を、細部にわたって長々と述べている。だが、この驚くべき作品の原理は何であるのか。

編み合わせられた激しい雨の三本の光線、
三つの湿った雲、三つの火、翼をもった三つの南風。
それらが混ぜあわされて、恐ろしい稲妻、音、恐怖、怒り、

追いかける炎という作品となった。〔ウェルギリウス『アエネーイス』第八巻四二九〜三二〕

これは見事なまでに崇高であると私には思える。だが、この種の観念の結合がつくり出すに違いないであろう種類の可感的なイメージに冷静な目を向けてみるならば、狂人の妄想でもその絵よりは荒唐無稽でばかげてはいないだろう。この奇妙な混合物はひとつの塊となり、キュークロープスの鉄槌の下で、ある部分は磨かれ、ある部分は粗いままにとどまる。じっさいに、詩が多くの高貴な観念に対応する高貴な言葉の集合体をつくり、その高貴な観念が時間と空間の状況で結びあわされ、因果によってお互いに関係し、自然な仕方で繋ってゆくとき、それらはどのようなかたちでも取りうるし、その目的に完璧に応えるのである。絵画的な関係は必要がない。なぜなら、映像はじっさいには形成されないし、記述の効果はその点にまったく依存していないからである。ヘレネーの美しさについてプリアモスと彼の重臣たちが語る言葉は、一般に運命の美女のもっとも高貴な観念をわれわれに与えると考えられている。

彼らは叫んだ。このような天上的な美しさが、九年間の長きにわたり世界を戦に巻き込んだことに不思議はない。
何と魅力ある優美さ。何というすばらしい表情。
彼女は女神をも動かすだろうし、女王にも相応しい。
〔ウェルギリウス『アエネーイス』第三巻一五六〜五八行、ポープ訳による〕

ここでは、彼女の美しさに関する個別的なことについてはひと言も触れられていないし、彼女の身体に関して正確な観念を形成するのを助けるようなものは何ひとつない。それでもわれわれは、何人かの作家に見られるようなヘレネーに関する長々と工夫を凝らした記述――たとえそれが伝統によって伝えられたものであれ、空想によってつくられたものであれ――よりも、こうした記述から大きな感動を得るのである。それは、スペンサーがベルフィービについて書いた細かい記述〔『妖精女王』第二巻第三部二一〜三一行〕よりもたしかに私を感動させるのである。もっとも、その部分には、この卓越した作家のすべての記述と同様に、とても素晴らしく詩的な部分があることは認めねばならないが。ルクレティウスが、彼の哲学的英雄が宗教と向き合うさいの寛大さを示すために描いた宗教についての恐ろしい絵は、大胆さと勇気をもって構想されたと考えられている。

人間の生活が地面の上に卑屈に這いつくばって、
宗教の重荷の下で押しつぶされていたとき、
宗教は天の領域から、恐ろしい表情で人間を見下していたが、
それに対してあえて目をあげた最初の者は、ひとりのギリシャ人であった。

〔ルクレティウス『事物の本性について』第一巻六二〜六七行〕

この卓越した光景から、どのような観念を引き出すことができるだろうか。何の観念も引き出せないことはたしかである。そして、想像力が生み出すことができるあらゆる恐怖を表現するこの幻影の手足や表情を思い描くのを助けるような言葉を、詩人はまったく用いていないのである。じっさい、詩や修辞学は絵画のように正確な記述に成功することはない。それらの仕事は、模倣ではなく共感によって感動を与えることであり、事物それ自体の明確な観念を提示するというよりもむしろ、話し手の精神に対して事物が与える効果を示すことなのである。それこそが、詩や修辞学のもっとも広大な領域であり、それらがもっとも大きな成功を収める領域なのである。

第六節　詩は厳密には模倣芸術ではない

以上のことから、一般的な意味での詩は、厳密な意味では模倣芸術と呼ぶことはできないと言ってよいだろう。詩は言葉が表現できる人間の振る舞い方や情念を記述するかぎりでは、たしかにひとつの模倣である。「それは、舌を通訳として、心の中の情念を表現する」〔ホラティウス『詩論』一一一行〕。そこでは、詩は厳密に模倣であり、すべてのたんなる劇的な詩はこの種類である。しかし、叙述的な詩は主として代置つまり慣習によって現実効果をもつようになった音によって作用する。他の何かに似ているということがなければ、何ものも模倣ではない。言葉は、疑いなく、それが表しているものとまったく似ていないのである。

第七節　いかにして言葉は情念に作用するのか

さて、言葉はそれ自体に起源をもつ力によらず、表象によって作用するわけだから、情念に対する影響力は小さいと考えられるかもしれない。だが、事実はまったく逆である。というのは、われわれは経験から、雄弁や詩は非常に多くの場合に、他のあらゆる芸術や自然そのものと同等もしくはより深く生き生きした印象さえも、じっさいに与えることができるということを知っているからである。そしてこれはつぎの三つの原因から生じる。第一に、われわれは他人の情念にとても大きく参与するということである。われわれはその情念に関して示されるしるしによってかんたんに心動かされたり共感に引き込まれたりする。そして、言葉ほど、ほとんどすべての情念を取り巻くあらゆる状況を表現できるしるしはないのである。だから、何かの主題について話すときは、その主題だけではなく、それによって心がどう動かされているのかということまでも、伝えるのである。たしかに、われわれの情念に対するほとんどの事物の影響は、その事物そのものからというよりはむしろ、それらに関するわれわれの意見から来るのであり、われわれの意見はまた、大部分が言葉によってしか伝達されない他者の意見に大きく依存しているのである。第二に、人に大きな感動を与えるような性質をもつものの中には、じっさいにはめったに起こらないが、それを表象する言葉は頻繁に聞かれるといったものがある。それらは、現実の観念は希薄なのに、精神に深い印象を与え、かつ深く根を下ろすことになる。戦争、死、飢饉など、人によってはおそらくはどのようなかたちでもじっさいに起こることはないが、それでも大きく心を揺さぶる言葉がある。それに加えて、神、天使、悪魔、天国と地獄といったように、だれにとっても言葉によってしか感覚に対して示されない多くの観念がある。だが、それらはすべて情念に対して大きな影響力をもつのである。第三に、言葉によってわれわれは、それ以外の方法では実現できない結合をつくる力をもつことができるのである。この結合の力に、注意深く選ばれた状況を付加することによって、われわれは単純な対象に、新しい生命力と力をつけ加えることができるのである。絵画においては、われわれは自分が好むどんなすばらしい形象でも表象できるが、言葉だけが与えられるような生命力溢れる性質を与えることはできない。絵画に天使を描くときには、翼をもった美しい若者を描くことができるだけである。だが、どのような絵画が「主の天使」というひとつの言葉を付加するだけでもたらされる壮大さを与えられようか。たしかにそこには明確な観念はない。しかし、その言葉は、可感的なイメージよりも心に強く働きかけるのである。私が言いたいのはそういうことなのだ。祭壇の足もとに引き立てられ、そこで処刑されるプリアモスの絵は、見事に仕上げられたなら間違いなく感動的なものになる。しかし、それが表現できないきわめて深刻な状況がある。それは、

彼は自分自身が聖化した火を、自らの血で穢した
〔ウェルギリウス『アエネーイス』第二巻五〇二行〕

ことである。もうひとつの例として、ミルトンから取られた詩行を考察しよう。そこで彼は陰鬱な国を通ってゆく堕天使たちの旅を描いている。

……数々の暗く陰鬱な谷を超えて、
彼らは悲しい場所を通り、数多くの凍てついた山々、
数多くの炎の山々を超えて、進んでいった。
岩、洞窟、湖、沼地、湿地、洞穴、死の影
死の宇宙を超えて。

〔ミルトン『失楽園』第二巻六一八〜二二行〕

ここには、「岩、洞窟、湖、沼地、湿地、洞穴、影」といった言葉の結合の力が示されているが、もしそこに「死の……」という言葉がなければ、その効果の大部分は失われてしまっただろう。言葉によってもたらされるこの観念、この情動——それは言葉だけが他のものに付加できるものなのだが——は、非常に大いなる崇高を喚起する。そして、その崇高は、後につづく「死の宇宙」という言葉によって、さらに高められる。ここにもまた、言葉によってしか表象できない二つの観念があり、それが結合すると考えられないくらい偉大で驚くべ

きものとなる。精神に対してはっきりしたイメージを提示しないものを観念と呼ぶことが正しいならばだが。しかし、それでもなお、実在の対象に属する情念を、それらの対象を明確に表象することのない言葉が、いかにして動かすのかということを考えるのは難しいだろう。それが難しいのは、言語に関する観察において、われわれは明確な表現と強い表現を十分に区別していないからである。その二つはじっさいにはまったく違うものであるにもかかわらず、しばしば混同されてきた。前者は悟性に配慮し、後者は情念に属する。前者は事物をありのままに記述し、後者はそれが感じられるさまを記述する。感動的な声の調子、情熱的な表情、興奮した身振りといったものが、それらが向けられる主題と独立して力を発揮するのと同様に、とくに情念的な対象に奉仕し、情念の影響下にある者につねに用いられる言葉やその配列といったものがある。それらは明確かつ明瞭に表現された主題よりも、われわれの心に触れ、感動させるのである。われわれは、記述された内容によって説得されなくても、共感してしまうことがある。真実はつぎのようなことである。つまり、すべての言語記述は、たんなる記述としてはけっして正確でなく、記述の対象となる事物に関して貧困で不十分な観念しか伝達できないので、話し手は、強く生き生きした感情を際立たせるような話し方を、手助けとして呼び出さなければ、ほんの小さな成果を上げることすらできないのである。だから、情念の伝染という手段によって、われわれは他者の胸の内に灯された火——それは記述された対象がけっして灯すことがなかった火かもしれない——をとらえるのである。言葉は、先に述べたような手段で情念を強力に伝達することで、その他の弱点を十分に補うのである。つぎのように言ってもいいだろう。すぐれた明確さと明晰さゆえに賞讃されるような、非常に洗練された言語は、一般に力強さにおいて劣っているのである。フランス語はそのような完全性と欠点をもっている。その一方で、東洋の言語や洗練の度合いがとても低い国民の言語は一般に、大きな表現の力と活力をもっているが、それは自然なことである。洗練されていない人々は、事物の平凡な観察者にすぎず、それらを区別する批評眼ももちあわせてはいない。しかし、まさにその理由で、彼らは目に入るものを大いに賞讃し、大いに感動するがゆえに、自らをより熱く情熱的な仕方で表現するのである。もし、情動がよく伝達されれば、それが明確な観念を伴わなくとも、あるいはその言葉を生み出した事物の観念をまったく伴わなくとも、しばしばその効果を発揮するのである。

この主題のもつ豊かさゆえに、私が崇高と美一般との関連で、詩を考察することを期待される読者もいるかもしれない。しかし、その観点から詩はすでにしばしば、しかも見事に論じられている。私の意図は、芸術分野における崇高と美の批評に入り込むことではなく、それらを確定し区別し、それらに関するある種の基準づくりに資するような原理を打ち立てる試みをなすことであった。その目的は、われわれの中に愛と驚愕を引き起こす自然中の事物の属性を探求し、さらに、どのような仕方でそれらの事物がそうした情念を引き起こすのかをあきらかにすることで、もっともよく果たされると考えたのである。言葉に関しては、どのような原理によって自然物を表象することができるのか、あるいはどのような力によって、それが表象する事物と同じくらい、ときにはより強力に、われわれに働きかけるのかを示すかぎりにおいて考察を行った。

〈了〉

初版への序文

以下の研究に筆者を誘った動機について、ここで何がしかを述べておくことは場違いではないだろう。本書の主題となっている問題は、以前から筆者の大きな注意を引いていた。だが筆者自身、大いに当惑していたのである。筆者は人間の情念に関する正確な理論やその真の起源に関する知識のようなものをもっているわけではけっしてないし、自分の考えを確実で一貫した原理に還元できないことはわかっていた。また、他の人々が同様な困難のもとで呻吟していることにも気づいていたのである。

筆者は、崇高と美の観念がしばしば混同されていることに気づいていたし、それらが非常に異なった事物や、まったく正反対の性質をもつ事物に区別なく適用されていることにも気づいていた。ロンギノスでさえ、この主題に関する比類のない論考の中で、お互いにまったく相反する事物を、崇高というひとつの共通な名称のもとに包括しているのである。美という言葉の濫用はさらに頻繁であり、さらに悪い結果をもたらしている。

こうした観念の混乱は、この種の主題に関するあらゆる考察を、非常に不正確かつ散漫なものにしてしまう。もし、この事態を改善することができるとしたなら、それは、われわれの胸中にある情念を入念に吟味すること、経験上われわれの情念に作用することがわかっている事物の性質を入念に観察すること、それらの性質が身体に作用し、われわれの情念をかき立てることが可能となる自然の法則を慎重にかつ注意深く探求すること、から可能となるのである。それがなされたならば、そうした探求から導出された法則を想像的な芸術やそれが関連するあらゆる領域に、大した困難もなく適用できるであろうと予想される。

この論考が完成して四年が経過した。その間、筆者は自らの理論に大きな変更を加える必要を見出さなかった。筆者は学識がありかつ率直な友人たちにそれを見せたが、彼らはそれを不合理なものとは見なさなかった。筆者はいまやそれを公にするわけであるが、自分の考えを蓋然性の高い推測として提示するのであって、確実で反駁を許さないものとしてではない。もし、筆者が自分の意見を確実であるかのように述べている個所があるとしたなら、それは不注意に起因するものである。

〔初版は一七五七年四月二一日に出版された〕

第二版への序文

私はこの版を、最初の版よりいく分かは充実しかつ満足のゆくものにするように努力をしてきた。私は、公に表明された私への反対意見を最大限の細心さと注意をもって探し求め、友人たちの率直な意見を利用させていただいた。こうした手段で本書の欠点をよりよく発見することができたのは、その不完全性にもかかわらず本書が享受してきた寛大なあつかいのために、本書をさらに良いものにするための努力を惜しまないという気持ちになれたからである。私は自分の理論を実質的に変更すべき十分な、もしくは十分と思われる理由を見出せなかったが、多くの点でそれを説明し、例示し、強化する必要を感じた。私は趣味に関する序論的な論考をつけ加えた。趣味はそれ自体で興味をそそる問題であるし、この本の主題に自然につながってゆく問題である。この論考と他の説明をつけ加えたために本書のページ数は大きく増加してしまった。それに伴って欠点も増えてしまったのではないかと恐れている。それゆえ、本書は最初に出版されたときよりもさらに寛大なあつかいが必要となっているかもしれない。

この種の探求に慣れている人々は、この本には多くの欠点が見出されるということと、それを許容しなければならないということを、最初から予想しているだろう。彼らは、われわれの探求の対象の多くがそれ自体曖昧で入り組んでおり、しかも、それ以外の対象も多くの場合、見せかけの洗練と偽りの学問のために曖昧で入り組んだものとなってしまっているということを知っているはずである。彼らは、この主題には人々の偏見にとどまらず、われわれ自身の偏見が障害となっており、そのために自然の真実の容貌を明らかな光のもとで見ることが少なからず難しくなっていると知っている。彼らは、物事の一般的な性質に注意を傾ければいくつかの個別的な事柄が無視されてしまうということ、また、文体を問題の性質にあわせて明晰さを追求すれば、しばしば文体の洗練に関する賞讃は諦めなければならないと知っている。

自然の文字が読解可能であることはたしかだが、走りながらでも読めるほど平明ではない。われわれは細心な、あるいは小心と言ってもよい、探求の方法を用いる必要がある。われわれは這いまわることとすらほとんどできないときに、飛翔をこころみてはならないのである。われわれは複雑な問題を考察するときにはいつでも、われわれはその作品のあらゆる個別的な部分をひとつひとつ検討し、すべてをもっとも単純なかたちに還元しなければならない。というのは、われわれ人間の本性の条件は、厳格な法則と狭い範囲の中に制限されているからである。われわれは、原則によって作品を検討するだけでなく、作品の効果によって事後的に原則を再検討する必要がある。また、われわれの主題を、似かよった性質をもつ事物と、さらには反対の性質をもった事物とさえ比較すべきである。なぜならば、単一的な視点からは逃れてしまう事柄を、比較対照によって発見することができるし、じっさいにしばしば発見されてきたからである。比較を数多くすればするほど、われわれの知識は、広範囲で完全な帰納法に基づいた普遍的で確実なものとなるのである。

細心に行われた探求は、たとえ真実の発見に最終的に失敗するとしても、人間の悟性の弱さを明るみに出すという、有益さでは劣らない目的に資することになるだろう。それは、われわれの知識を増やさないとしても、われわれをより謙虚にするだろう。それほどの努力が最終的にそれほどの不確実さしかもたらさないとしたなら、かりにその探求がわれわれを錯誤から守ってくれないとしても、少なくとも錯誤の精神からは守ってくれるだろうし、何かを性急に断言してしまうことに対してわれわれを慎重にさせるだろう。

私が願うのは、この理論の妥当性を検討するさいには、それを立てるさいに私がしたがったのと同じ方法を用いてほしいということである。反対意見というものは、明確に考察された原理に対して、もしくはその原理から導出された結論の正当性に対して向けられるべきであるというのが、私の考えである。だが、よく見うけられるのは、前提や結論を素通りしておいて、私が確立しようとした原理では容易に説明できない詩の一節を反対意見として提示することである。こうしたやり方は、非常に不適切であると私は考える。もし、詩人や雄弁家たちの中に見出せるあらゆるイメージや記述の複雑な細部をあらかじめすべて解明しておかなければ、どんな原理も立てることもできないとしたなら、われわれの仕事は際限のないものとなってしまうだろう。かりにそのようなイメージの効果をわれわれの原理でうまく説明できないとしても、その原理が確固として反駁不可能な事実に基づいているならば、原理そのものを無効にすることにはならない。推測ではなく実験に基づいた理論はつねに、それが説明力をもつかぎりで有効なのである。その理論を無制限に適用できないということは、その理論に対する反論とはならない。そうした無力さは、ある必要な媒介項を見落としていることや、適切な適用がなされていないことといった、われわれが用いる原理に内在する欠陥以外の原因に由来する可能性がある。じっさいに、この主題は、われわれの方法論が要求する以上の細心な注意を要求するのである。

もしそれがこの著作に、一見現れていないとしたなら、私が崇高と美の網羅的な論考を意図したのだと読者が想像しないように注意をしなければならない。私の探求はそれらの観念の起源を超えてゆくことはない。もし私が崇高という項目のもとに分類した諸性質がお互いに共通しており、また美の項目のもとに分類した諸性質と違っていることがわかれば、また、美という項目を構成する諸性質が同様の共通性をもっており、崇高の名のもとに分類された諸性質と同様の対立関係にあることがわかれば、私がそれらに与えた名称に人々がしたがうかどうかは、私にはどうでもいいのである。私が違う項目に分類したものが、じっさいに性質上違うものであるということが認められさえすればいいのである。それらの言葉の使用法が、狭すぎるもしくは広すぎるという批判はあるだろうが、私がそれらに与えた意味は誤解のしようがないはずである。

結論としては、この問題の真理の発見にどの程度前進したかにかかわらず、私は自分の取った労苦を後悔してはいないのである。こうした探求の効用は大きなものとなりうる。魂が自らに向かって内面に目を向けるならば、それは自らの力を集中させることになり、学問におけるより偉大でより力強い飛翔に適したものに自らを変えてゆくという結果をもたらす。物理的な原因に目を向けることで、われわれの精神は開かれ拡大する。最終的に獲物を捕えるか逃がすかにかかわらず、追跡することがたしかに役立つのである。自身はアカデメイア派の哲学に忠実で、その他のあらゆる種類の確実性と同様に、物理的な確実性を拒絶したキケロも、それが人間の悟性に対してもつ大いなる重要性を率直に認めている。「自然に関する考察と瞑想は、それ自体がわれわれの精神と知性の自然な糧なのである」〔キケロ『アカデミカ』第二巻一二七行〕。もしわれわれがこうした高邁な思弁から引き出す光を、想像力というより低次な分野に向け、人間の情念の源泉を探りその方向性を辿るなら、趣味というものにある種の哲学的な厳密性を与えることができるだけでなく、逆に、厳格な諸学問に趣味の優美さと洗練を与える結果となるであろう。それなしでは、それらの諸学問に大いに精通することは、何かしら狭量なことに見えてしまうのである。

〔第二版は一七五九年二月一〇日に出版された〕

訳者解題

大河内昌

エドマンド・バーク（Edmund Burke）は一七二九年に、アイルランドのダブリンで、プロテスタントで弁護士の父親、カトリックの母親の次男として生まれた。ダブリンのトリニティー・カレッジで教育を受けた後、法律の勉強をするために一七五〇年にロンドンに出た。しかし、法律よりも文学に熱意をもち、作家のサミュエル・ジョンソン、オリヴァー・ゴールドスミス、俳優のデイヴィッド・ギャリック、画家のジョシュア・レノルズなどと交友関係をもった。一七五六年に『自然社会の擁護』を書いて文人としてデビューし、一七五七年には本書『崇高と美の起源』（原題は *A Philosophical Enquiry into the Origins of Our Ideas of the Sublime and Beautiful*）を出版した。二年後に「趣味に関する序論」を付した第二版を出版した。本書は、その第二版の訳である。その後、ホウィッグ党の大立者ロッキンガム侯の後援を受けて下院議員となり、ホウィッグ党の論客として時のトーリー党政権を批判した。政治論として

『現在の国情についての考察』（一七六九年）、『現代の不満の原因』（一七九〇年）を公刊し、またアメリカ植民地問題やインド植民地の経営問題に関して、歴史的な演説を残した。（バークの政治的な著作・演説の主要なものは、中野好之編訳、『バーク政治経済論集』〔法政大学出版局、二〇〇〇年〕によって読むことができる。）政治家としてのバークが取り組んだ主な問題は、国王ジョージ三世の影響力から下院の独立を守ること、アメリカ植民地を解放すること、インド植民地を不当な経営政策から守ること、フランス革命の影響を受けた無神論的ジャコバン主義者からイギリスの国制を守ること、などであった。とくに、フランス革命にさいして書かれた『フランス革命についての省察』は、保守主義的な政治理論の古典として、現在も読み継がれている。だが、バークはフランス革命の帰結をその目で見ることはなく、一七九七年に没した。

本書のテーマである「崇高」は、十七世紀後半から十八世紀にかけてイギリス文壇の大きな話題のひとつであった。崇高という言葉の起源は、紀元一世紀のギリシャの修辞学者ロンギノスが書いたと伝えられる『崇高論』にある。ロンギノスにとって崇高とは、弁論によって聞き手を熱狂させるための修辞的な技法のひとつであった。しかし、主としてボワローのフランス語訳をとおして崇高概念がイギリスで広く流布するようになると、それは巨大な自然がもたらす圧倒的な感動を意味するようになっていった。バークが説明しようとしたのも、巨大で危険な対象がもたらす感動という意味での崇高である。バークが『崇高と美の起源』でほとんどロンギノスに言及しないのも、弁論術に関わる修辞的な技法として生まれた崇高が、バークの時代には趣味判断に関する美学的概念に変貌していたからである。『崇高と美の起源』は、バークが政治家になる前の青年時代の著作であり、政治論が中心の彼の著作の中では一見孤立した存在である。しかし、バークが文学批評家でも美学者でもなく、政治家・政治理論家であったことを考えるなら、彼の崇高論が内包している政治的な意味を考慮することが重要と思われる。以下では、『崇高と美の起源』が内包する政治的な意味について、若干の解説を加えたい。

十八世紀イギリスの崇高美学の文脈における『崇高と美の起源』の特徴は、崇高と美を対立する一対の概念として考えたことにある。カントの『判断力批判』以降、われわれは崇高と美を一対の概念ととらえることが自然であると思いがちだが、歴史的にはそうではないのである。バークの同時代にも崇高論は多数書かれているが、それらは美と崇高を二項対立的に考えているわけではない。たとえば、ジョゼフ・アディソンは美的な性質として「美しさ」、「目新しさ」、「巨大さ（崇高）」という三項目を設定しているし、アレグザンダー・ジェラードは『趣味論』において、趣味の対象として「目新しさ」、「崇高」、「美」、「模倣」、

「調和」、「可笑しさ」、「美徳」の七項目を論じている。ケイムズの『批評の原理』も崇高を「美」、「滑稽さ」、「類似」、「機知」その他数多くの項目のひとつとして論じている。一方、ジョン・ベイリーのように崇高だけを単独に考察した作家もいる。バークは崇高と美を一対の概念として設定することで、崇高美学の体系化を目論んだのである。バークの美学体系の最大の特徴は、生理学的な用語を用いて美と崇高を身体論的に説明したことにある。

『崇高と美の起源』においてバークは、美と崇高を、快と苦という、人間がもつ究極的な二つの感覚に結びつけて説明している。美は快から生じ、崇高は恐怖や苦痛をもたらす対象によって喚起される。バークによれば、崇高の情緒は恐怖がもたらす身体組織の収縮によって生み出され、美の情緒は快がもたらす身体組織の弛緩によって生み出される。美と崇高の情緒を喚起する対象は、どちらも知覚可能な特定の物理的特徴をもっている。たとえば、美しい対象は「小ささ」、「滑らかさ」、「漸進的変化」といった特徴をもち、崇高な対象は「巨大さ」、「欠如」、「曖昧さ」といった特徴をもつのである。美的な対象のこうした属性が引き起こす身体的変化が、崇高や美の原因となるのである。バークが身体的な感覚に美的情緒の原因を置くのは、感覚だけが趣味判断の普遍的な基準を提供すると彼が考えるからである。バークにとって、趣味判断の普遍性を支えるのは、同一の対象は同一の知覚をもたらすという身体の機械論的構造である。万人に共通な原理としての感覚が趣味の表面的な多様性の根底に存在するがゆえに、趣味の一般理論を構築することが可能となるのである。こうした趣味の一般性・普遍性という考え方から、バークの美学が内包しているある種の政治学が浮かび上がって来る。

バークの美学理論が暗黙のうちに内包している政治学は、近代的な商業社会を擁護するタイプの政治学である。美と崇高という一組の美学的概念にバークは、近代の市民社会を統制するための、対立しながらも相補的な社会的機能を託しているのである。バークによれば、美は他の人々との交流を快適にするという「社交的な性質」をもっている。美は社会を構成する原理なのである。美がもつ社交的な性質なしで社会は成立しないが、美の快には同時に危険が潜んでいる。というのは、美の快の原因である身体的な弛緩は、活動の停滞と怠惰へ人々を誘う傾向をもっているからである。美と洗練には、怠惰や憂鬱をもたらすことによって、社会を堕落させる危険があるのだ。ここでバークが視野に入れているのは、近代的な商業社会がもたらす洗練は、結果として虚弱さと堕落を社会に蔓延させるだろうと警告する、商業批判の言説である。バークの言う美が、当時の社会的・道徳的争論における中心的テーマのひとつであった「奢侈」(luxury)の別名であることはあきらかである。バークはそうした商業批判の言説に対抗しようとしているのである。

十八世紀イギリスの社会理論において、奢侈は情念と想像力に結びつけられていた。バークの『崇高と美の起源』の注目すべき点は、想像力には過剰な洗練がもたらす堕落を抑制する自己調整機能が備わっているのだと証明しようとしていることである。想像力に内在する自己統制のメカニズムをバークは崇高と呼ぶ。身体組織の弛緩から生まれる美とは対照的に、崇高は「神経の緊張」から生まれる。身体的に苦痛な労働が、筋肉に運動を与えることによって身体の健康を保つのと同様に、崇高がもたらす神経の緊張は精神を活性化し、健やかに保つのである。崇高は、美の過剰がもたらす怠惰と無気力を治癒する、精神の労働なのである。この労働倫理と美学の結合において、バークの『崇高と美の起源』のイデオロギー的含意が明確に浮かび上がってくる。バークの美学は、趣味の洗練と奢侈を加速度的に生み出す商業的市民社会を肯定する政治学を内包している。もし、優れた趣味が、奢侈と怠惰を生み出すだけでなく、崇高による道徳的な訓練を市民に授けるなら、洗練された商業社会は虚弱化と堕落をもたらすという批判は的外れだと主張できるのである。

このように、バークは崇高と美を、機械的な因果関係で説明できる生理的・身体的な現象に還元する。美的な趣味が、だれもが共通にもっている身体構造に基づいているなら、趣味を身につけた市民はだれもが、血統や世襲財産に関係なく、公共圏における自由かつ洗練された活動に参加できるはずである。だが、バークはそのために高い代償を払うことになる。というのは、もし趣味の微妙な差異が人間の身体構造の共通性によって塗り込められてしまうなら、洗練された趣味や鋭敏な感受性とは何かという、そもそも美学の出現を要請した問題がほとんど無意味なものに見えてしまうからである。バークの美学が、大土地所有に基づいた貴族階級のヘゲモニーに対抗するブルジョア階級の文化的戦略の一部をなしていたことは明白である。だが、バークのように趣味を身体構造というあらゆる人間に共通な属性の上に基礎づけてしまえば、市民社会の市民権の条件となる趣味や感受性の領域に、労働者階級や下層階級が参画する可能性に道を開くことになりかねないのである。じっさい、十八世紀の末にフランス革命と連動したかたちで、イギリスで急進的な政治運動が起こってくると、そうした問題が切迫したものになってくるのである。それは崇高と美の関係に対するバークの態度を微妙に変化させることになる。『フランス革命についての省察』でバークが見せた立場の転回――ブルジョア的労働倫理と結びついた崇高よりも、むしろ貴族的洗練と結びついた美を高く評価する立場への転回――はそうした歴史的な文脈で考えられるべきであろう。

『美と崇高の起源』にはすでに複数の日本語訳がある。とくに中野好之訳(みすず書房)は訳者も学生時代からお世話になったものであり、今回もその正確で格調高い訳文から教えられるところが多かった。今回の訳ではできるだけ平易で読みやすい訳文を提供する努力をしたが、それがどの程度成功しているかは、読者からの批判に俟ちたい。今回の翻訳の底本にしたのは、もっとも流布しているジェイムズ・ボールトン編のブラックウェル版である。適宜、オックスフォード版バーク著作集やペンギン・クラシックス版のテクストと注を参考にした。聖書からの訳は新共同訳によっている。引用の出典に関する情報は訳注として〔 〕に入れて本文中に挿入した。バークは、ウェルギリウスなどの古典作品の引用に、かならずしも原典に忠実でないポープやドライデンら同時代の文人たちの英訳を付していることが多いが、その場合には英訳部分を訳出し、出典とともにその旨を記した。その他、人名等について若干の訳注を加えた。

本書刊行にあたっては、研究社編集部の星野龍氏に大いにお世話になった。バークの文体に引きずられて晦渋になりがちな訳者の日本語表現に対して、とても有益な示唆を数多くいただいた。記して感謝する。イギリス文学史あるいは西洋思想史・美学史において、いわゆるイギリス趣味論の集大成として重要な地位を占める本書が、いささかでも広く読まれる一助となれば、望外の幸せである。

平凡社ライブラリー版　訳者あとがき

エドマンド・バークの『崇高と美の起源』が平凡社ライブラリーの一冊として出版されることになった。二五〇年以上前に書かれたバークの崇高論が今日でも意義をもっていることの証左であろう。彼の議論を理解するための一助として、その背景にあるイギリス思想の文脈についてかんたんに触れておきたい。

アレクサンダー・ゴットリープ・バウムガルテンが感性の学という意味での「美学」を提唱する以前から、一八世紀のイギリスでは趣味と趣味判断に関する美学的な議論の水脈が存在していた。バークの『崇高と美の起源』もその流れの中にある。重要なのは、この時代の美学は「道徳哲学」と呼ばれる大きな知的プロジェクトの一部であったということだ。道徳哲学とは、神学的な前提からいったん離れて世俗的な観点から人間と社会を支配する法則を探求する学問のことであり、現代の区分でいう倫理学、法学、政治学、経済学、美学、文芸評論などを包含するものだった。道徳哲学という知的探求を要請したのは、イギリス社会の近代化と商業化にともなう新しい道徳理論の必要性であった。近代的な商業社会は人間の欲望や野心といった情念を肯定する社会である。そうした近代化が進行しつつある社会においては、旧来のキリスト教的道徳はしだいに有効性を失ってゆく。たとえば、バーナード・マンデヴィルは、情念こそが商業社会を発展させるエネルギーであり、欲望や虚栄心といった情念を制限しようとする国家は、近代国家としては衰退するしか道はないと主張した。では、欲望や野心といった利己的な情念を解放する社会は、同時に徳ある社会でありえるのだろうか。また、私的な利益の追求を是認する社会はそもそも秩序と安定を保ちえるのだろうか。道徳哲学は、こうした問題に対して肯定的な解答を与えようとした。換言するなら、道徳哲学という多面的な理論的言説が取り組んだ中心的な課題は、私的な情念と公共的な徳の両立可能性の問題なのである。道徳哲学は人間の感情や情念を分析し、感情や情念の中に普遍的な道徳的法則を把握する直観的能力が存在すると主張することで、情念と徳の両立可能性を証明しようとした。もし、情念が洗練されることによって調和的な社会をつくり上げる性質をもつならば、商業の駆動力である情念は秩序ある社会にとって脅威ではなくなるだろう。

一八世紀イギリスの道徳哲学の礎石となったのは、シャフツベリー伯アシュリー・クーパーが唱えた「内的感覚」の思想である。シャフツベリーの中心にあるのは、外的な対象の美しさを感知する美的感覚と人間の道徳性を判断する道徳感覚は、基本的におなじだという思想である。シャフツベリーは、人間はみな生まれながらに美を好むのと同様に、生まれながらに徳を愛する気質をもつと主張する。つまり、私利を捨てて公共善に奉仕する人間の道徳性は、理性的な規範にしたがうことではなく、徳を愛する自然な情念にしたがうことで実現するというのである。シャフツベリーによれば、美と徳はともに個別と全体の調和という共通の質をもっている。さらに美と徳はどちらも理性によって推論されたり証明されたりするものではなく、内的感覚によって感じ取られるものであるという共通点がある。シャフツベリーによる美と徳の同一化は大きな結果をもたらした。美と徳は共通の性質をもっているわけだから、美は徳の外面的な現れと見なすこともできる。それゆえ、美を感知する訓練は、有徳な精神を育むのに役立つと考えられることになる。美的感覚と道徳感覚の類似性の強調が、趣味の洗練と徳の涵養を結びつける方向に進むのは自然なことであった。シャフツベリーの後もフランシス・ハチソン、デイヴィッド・ヒューム、ヘンリー・ヒューム（ケイムズ卿）といった思想家たちが、美と徳を同一視するシャフツベリーの道徳哲学を発展させていった。

バークの『崇高と美の起源』も、趣味判断の規準を感覚に求める点でイギリス経験論の流れの中にある。だが、バークの特徴はそれまでの趣味論にあった「内的感覚」を身体的感覚に直接結びつけたことにある。つまり、バークは崇高と美の原因を身体的な生理学の観点から説明するのだ。たとえば、バークによれば崇高の原因は苦と危険に対する「恐怖」である。人間は危険や苦を恐れ避けたいと考えるが、距離を置いた安全な状態で恐怖体験を観察する場合、それは悦びを生み出す。その悦びが「崇高」なのである。距離を置いて観察された「巨大さ」や「無限」は、じっさいに危険や苦痛をもたらすわけではないが、それらは恐怖に類似した神経の強い緊張を生み出す。その緊張が崇高という情緒の原因になるのである。バークによれば、人間が生きるためには休息と怠惰な時間は不可欠だが、それにばかりに耽けると社会と文明は衰退する。人間の身体も休息がもたらす弛緩状態の中に長くいると、身体器官の機能が低下してゆく。それゆえ社会においては労働が、身体にとっては運動が必要となるのだ。崇高が与える恐怖と緊張は、悦ばしい戦慄というかたちで神経を運動させ、精神を健やかに保つのである。美は崇高とは逆に「身体全体の組織を弛緩させる」ものの名前である。身体の調子が自然な状態を下回る程度に弛緩するとき、それは積極的な快を生み出す。身体組織にこうした弛緩をもたらすものはすべて美の原因になる。美は「愛」の情念を生み出し、人々を柔和にし、社交を促進する。崇高と美は市民社会を構成し維持するための二つの主要な社会的原理なのである。バーク以前の美学は崇高や美を、「機知」「新奇さ」「類似」「斉一性」「調和」といった数多ある美的性質のひとつとしてあつかっていたが、神経の緊張と弛緩という生理学的観点から趣味判断を説明するバークの理論は、美的な諸性質を崇高と美の二項対立に集約する結果となったのである。

上で述べたように、一八世紀のイギリスの美学は道徳哲学の一部門として始まった。その意味で、美学は政治的関心から生まれた学問であり、市民社会の秩序構築というイデオロギー的な目的をもっていたとも言える。それは美的態度の特徴は「無関心」であるというカント以降の美学と対立するように見えるかもしれない。だが、一八世紀イギリスの美学にも「無関心」理論の萌芽はある。すでにシャフツベリーに見られるように、一八世紀イギリスの美学は「公共性」を志向する学問であった。シャフツベリーによれば内的感覚が感知するのは調和ある全体性が生み出す快い印象である。それは芸術作品にも見られるし、公共善に奉仕する市民の道徳性にも見られる。多様な個別が調和ある全体を構成するさいの鍵になるものこそ、狭く私的な利害に対する「無関心」なのである。一九世紀末の唯美主義の作家オスカー・ワイルドは、カントの「無関心」理論を応用して「芸術は不道徳である」と主張した。しかし、それはあくまで拡大解釈であろう。人間が私的利害を「無関心」という括弧に入れて公共性を実現する可能性を探求する知的プロジェクトが美学なのである。つまり、「美」は人間が人間に対して狼であることをやめて、強制されることなくお互いの意見を一致させる可能性を垣間見せてくれるのだ。晩年のテオドーア・アドルノがアウシュビッツ後の世界になおも残っている「幸福の約束」を芸術作品の「美」に見出そうとしたのも、美学の潜在力を認識していたからにほかならない。そういう意味で、美学は骨董趣味のための学問ではなく、未来を切り拓くための学問なのである。

今回、旧訳を平凡社ライブラリーとして出版するにあたって、いくつかのミスや誤記を訂正する機会をいただいた。岸本洋和さんはじめ平凡社の編集部のみなさんにたいへんにお世話になった。心から感謝する。

二〇二四年一月三日　　大河内昌

解説

井奥陽子

エドマンド・バーク（一七二九〜九七）の『崇高と美の起源』（初版一七五七年、第二版五九年、原題『崇高なものと美しいものについての我々の観念の起源に関する哲学的探究』）は、美学思想史を画する書物である。たしかに論述には粗削りな部分もみうけられるため、バークが政治家として名をあげる以前の若書きとして、美学研究においてもバーク研究においても、二〇世紀後半まで必ずしも十分には注目されてこなかった。しかし本書は当時大きな反響を呼び起こしただけでなく、その後の西洋美学の方向を決定づけた記念碑的な著作と言える。

どのような点でバークは革新的であったのか。この解説では、『崇高と美の起源』の概要と構成を示したうえで、崇高と美それぞれの思想史に関して、バークが提唱した理論の特徴と意義を整理する。さらに後代の受容についても、とくに芸術への影響に着目して紹介する。

概要と構成

『崇高と美の起源』は、美と崇高を初めて包括的に比較して考察した著作である。その功績は、「崇高（sublime）」という概念を哲学的に基礎づけたことと、同時に崇高を美から峻別することで、「美と崇高」という対概念（美学用語で言えば美的カテゴリー）を確立したことにある。

考察方法としては、バークは感覚主義的と言われる。つまり彼は、美しいものと崇高なものが我々にどのような感情や身体的な反応を引き起こすのか、その観察に基づいて論を展開する。イギリス経験論に連なる手法だが、観念連合よりも生理学的な考察を重視した点にバークの特徴がある。

全体の構成は、「趣味に関する序論」、第一〜五部の本論、そして初版と第二版それぞれの序文からなる。第二版での大きな変更は、序文のほか、「趣味に関する序論」と第二部第五節「力」が加筆された点にある。

「趣味に関する序論」は、表題のとおり趣味（美醜を判断する能力）を主題とする。D・ヒューム（一七一一〜七六）の『趣味の基準について』（一七五七年）を受けて書かれたと考えられている。崇高や美を直接には論じておらず、ある程度は独立して読むことができる。

「初版への序文」では、本書の執筆の経緯などが記される。バークによれば、崇高と美の概念がしばしば混同されていることが動機となって筆をとり、原稿は四年前に完成していた。「第二版への序文」では、初版に対する書評や友人の意見を参考に改稿を行ったが、説明を補っただけで理論自体に変更はないことなどが述べられる。

第一部では、人間の基本的な情念（passion）が分類される（バークは情念を感情〔feeling〕や情緒〔emotion〕や情動〔affection〕とも言い換える）。それを踏まえて、どのような情念を喚起するものが崇高なものや美しいものであるか、という観点から崇高と美が定義づけられる。

第二部ではまず、崇高なものが引き起こす情念がより具体的に説明される。そのうえで、そうした情念を誘発する原因として、崇高なものの特徴（力や広大さなど）が枚挙される。

第三部の前半では、美についての従来の理論を論駁することに紙幅が割かれる。後半では、美しいものの特徴（小ささや滑らかさなど）が挙げられる。

第四部では、崇高なものや美しいものに接した際の身体的な反応が考察される。それによって、第一～三部の主張を生理学的に裏づけることが試みられる。

第五部では、詩が強い情念を喚起する仕組みが考察される。言葉と崇高や美との関連というより、言語の指示作用が扱われており、第一～四部とはやや趣向が異なる。

バークの議論は様々な論点を含むが、以下では本書の主題である崇高と美をとりあげる。

崇高

「崇高」はもともと古典修辞学の用語で、格調高い文体を「崇高体（崇高な文体）」と呼ぶことに使われた言葉であった。ロンギノスの『崇高（高さ：ὕψος（ヒュプソス））について』（一世紀頃）は、崇高をたんなる文体ではなく語り手の精神の反映として論じたユニークな修辞学書であったが、長らく歴史に忘れ去られていた。

『崇高について』が近代に再発見されると、崇高は文芸批評のトピックになる一方で、自然体験へも適用された。ロンギノスは、言葉がもつ崇高さは聞き手を忘我へ至らせ、驚愕させる、驚嘆すべきものであると言う。こうした表現を用いて、アルプスなどの大自然を前にしたときの心情が描写されたのである。自然に関してはとくに、ぞっとするにもかかわらず恍惚となるという、矛盾する感情が混在する点が強調されるようになる。その感情をJ・デニス（一六五七／五八～一七三四）は「悦ばしい恐怖（delightful horror）」と表現した。

バークはデニスが「悦ばしい恐怖」と呼んだ複雑な感情を「悦び（delight）」という独自の概念によって説明し、悦びを喚起するものが崇高であると定義した。バークによれば、恐ろしいものから一定の距離があり、危険が差し迫ったものでない場合、苦痛の回避によって一種の快が生じうる。これが悦びである。バークはまた、ロンギノスに由来する「驚愕（astonishment）」と「賞讃（admiration）」と「畏敬（reverence）」へ新たに「尊敬（respect）」を加え、これらは大きく崇高な自然によって引き起こされる情念であり、この順に強いと定めた。

こうした定式化によって、崇高は文芸理論の用語から、独特の高揚感をもたらす対象全般に、なかでも強大な自然に対して用いられる美学的な概念となった。用語のうえでも、一八世紀前半までは grand（壮大）や great（偉大）や magnificent（壮麗）なども用いられていたところ、バーク以後は sublime が定着していく。それゆえ、バークによって「修辞学的崇高」から「美学的崇高」ないし「自然の崇高」への転換が決定的になったと評される。

ただしバークは大自然だけを念頭に置いていたわけではなく、人工物や小さな動物なども崇高の例に挙げている。彼にとって、崇高に必須の特徴は「恐怖（terror; fear; horror）」である。また、恐ろしいものには「曖昧さ（obscurity）」が必要とも述べられる。壮大さや偉大さではなく、恐怖とその原因である曖昧さを崇高の条件とした点に、バークの独自性がある。そのためバークの崇高論は「恐怖の美学（aesthetics of terror）」とも呼ばれる。

この見解に対しては当時から、崇高なものがすべて恐ろしいとは限らない、と多くの異論が出た。バークの理論では、もっとも崇高な存在である神を、キリスト教的な慈愛の神ではなくユダヤ教的な怒れる神と捉えることにもなる。しかしバークは第二版で加筆した第二部第五節で反論し、むしろ神と恐怖の結びつきを強調した。

たしかにバーク自身が挙げる事例のなかにも、必ずしも恐ろしくはないものが含まれるように思われる。だが第四部では、恐怖は「神経の不自然な緊張」に起因し、それゆえ危険でないものも恐怖に似た情念を生みだすと説明される。恐怖を心身が蒙る過度の負荷と理解すれば、バークの記述も統一的に読むことができるだろう。

美

美の理論の歴史におけるバークの功績は、古代以来の伝統的な思想にはっきりと異議を唱えた点にある。

バークは従来の見解を三つに整理する。美の本質を対象の「均整（proportion）」、「適合性（合目的性：fitness）」、「完全性（perfection）」のそれぞれにみる理論である。具体的な思想家にはほぼ言及されないが、各々の立場は次のようにまとめることができる。

均整の理論は、美しいものとは部分が一定の整った比率にあるもの（八頭身など）であるとみなす。ピュタゴラスの音楽論を源流に発達した思想である。バークはとりわけウィトルウィウスの『建築論』（前一世紀）に由来する、人体と建築を類比的に捉える思想を槍玉にあげる。一八世紀イギリスでは、たとえば第三代シャフツベリ伯（一六七一〜一七一三）やF・ハチソン（一六九四〜一七四六）が美を均整と捉えた。

適合性の理論は、美しいものとはそのものの目的に部分が適しているもの、とくに有用なものであるとみなす。プラトンの『ヒッピアス（大）』（前四世紀頃）には適合性や有用性をめぐる議論があり、黄金のものでもそのもの（彫像やスプーンなど）に黄金が相応しいかどうかによって美しい場合とそうでない場合がある、と語られる。バークの同時代ではW・ホガース（一六九七〜一七六四）が、適合性は美の最大の要素であり、均整も適合性に支配されると主張した。

完全性の理論に関しては、バークは定義を明記していない。例に出されるのは人間の身体的および精神的な卓越性であり、なかでも美を徳と不可分とみなす見解が検討に付される。これは古代ギリシャの「善美（καλοκαγαθία カロカガティア）」の思想を起源にする立場である。イギリスではシャフツベリがこの伝統を汲み、真善美の一致を説いた。

バークは様々な反例を挙げながらこれらを否定する。均整の理論に対しては、美は知性や推論によって数学的に探究されるものではなく、直接的に感じられるものだと反論する。適合性ないし有用性の理論については、美しいものが同時に有用でもあることは少なくないが、だからといって適合性が美の原因ではない、と指摘する。完全性ないし善美の理論に対しては、美の代表である女性は弱く不完全である、という主張によって退ける。

バークはこれらの理論に代えて、美しいものとは愛（love）または愛に類する情念（愛情〔affection〕や優しさ〔tenderness〕など）を喚起するものである、と定義する。彼によれば、愛は異性の美から誘発されるが、情欲とは区別される。愛情や優しさは他者や動物や物との関わりのなかで生じる。いずれも社交に関する情念で、神経の弛緩に起因する。対して、崇高は神経の緊張から自己保存に関する情念が喚起される点で、美から厳格に区別される。

バークによる美の概念は女性をモデルにしたもので、それほど受け入れられなかった。美しいものを女性あるいは女性的な穏やかなものとみなし、その作用を神経の弛緩と説明することで、バークは強い感動や衝撃を与える力を美から抜き去ってしまっているからである。それゆえ、彼は美と崇高を対立的に捉えるあまり美の概念を狭めている、と批判的に評価された。M・ウルストンクラフト（一七五九〜九七）からは性差別的だと非難された（現在の研究では、近代の崇高論全般に性差別的な視点があると指摘されている)。

たしかにバークの説明は浅薄な印象を与えるかもしれない。愛と美を結びつける発想はプラトンの『饗宴』(前四世紀)を思わせるものの、バークにとって美は怠惰にさえ繋がるもので、美をつうじて精神的な高みに上昇しうるとは想定されていない。

しかしながら、バークが感覚主義的なアプローチによって、美の本質から知性的な認識や有用性や善を取り除こうとした点は決定的に重要である。美を善などから分離して独立した価値とすることは、I・カント(一七二四〜一八〇四)の『判断力批判』(一七九〇年)によって、美的体験における主観を分析することで完遂される。それゆえ、バークはカントの先駆となり、美学思想における「主観主義への転回」とそれによって確立される「美の自律」への道を開いたとも評価される。

後代への影響

『崇高と美の起源』は発表直後から複数の書評でとりあげられ、細かな異論はあったものの好意的に受け止められた。

バークの理論はとくにドイツで精緻にされた。美と崇高を対概念として哲学的に基礎づける企ては、カントの『判断力批判』によって大成される。G・E・レッシング（一七二九〜八一）の『ラオコーン』（一七六六年）は、バークの詩に関する議論への間接的な応答になっている。イギリス本国では、崇高から派生して「ピクチャレスク」という概念がW・ギルピン（一七二四〜一八〇四）によって提唱され、自然の景色がもつ魅力を表すために用いられた。『崇高と美の起源』はまた、芸術の実践へも多大な影響を及ぼした。

とくに第二部で挙げられた崇高なものは、一八世紀後半〜一九世紀の芸術でおおいに流行し、ロマン主義芸術の主要なモチーフになった。夜、昼なお暗い森、異教の寺院、高い塔、夜のしじまに突然鳴り響く大時計、稲妻、日蝕、目を眩ませる太陽光、群衆の叫び声、大瀑布や荒れ狂う嵐の轟音、大海、黒や深紫の暗い色彩——バークの記述は具体的で魅惑的である。むろん『崇高と美の起源』以前にもこうしたものは芸術に描かれてきた。だがそうした要素を収集して「曖昧さ」や「無限」といった特徴に分類し、崇高という概念にまとめあげたバークの功績は大きい。

バークの美学思想は直接的には、親交の深かったJ・レノルズ（一七二三〜九二）やJ・バリー（一七四一〜一八〇六）によってイギリスの芸術に根を下ろす。両者とも画家で、ロイヤル・アカデミーで教鞭を執った人物である。フランスでも、D・ディドロ（一七一三〜八四）

のサロン評にバークを受容した痕跡が認められている。そうして芸術論や批評の至るところでバークの言葉が反響し、『崇高と美の起源』を直接参照していない芸術家へもその思想は浸透していった。

バークの「恐怖の美学」はとりわけ、まもなく勃興するゴシック小説（H・ウォルポール『オトラント城』一七六四年など）やゴシック・リヴァイヴァル建築（ストロベリー・ヒル・ハウス、フォントヒル修道院など）を後押ししたことで有名である。絵画については、風景画や廃墟画が流行するひとつのきっかけになった。個別的には、黙示録的な場面を描いたJ・マーティン（一七八九〜一八五四）や、輪郭線の曖昧な筆致で海や嵐を描いたJ・M・W・ターナー（一七七五〜一八五一）などにバークからの影響がみいだされている。またピクチャレスクの理論をつうじて、風景式庭園の発達も促された。

崇高は現代のアートと思想のキーワードでもある。

アメリカの芸術家B・ニューマン（一九〇五〜七〇）は、バークが崇高と美を峻別したことに着目しつつ、神なき現代に崇高なものをいかにして創造できるかという問題意識のもと、巨大なカンヴァスに色面を強調した抽象絵画を生み出した。さらにフランスの哲学者J＝F・リオタール（一九二四〜九八）によるニューマン論を契機に、ポストモダンの思想では、ことのできない他者として捉え直された。

たとえば近年ではD・リベスキンド（一九四六〜）設計のベルリン・ユダヤ博物館（二〇〇一年開館）が、表象不可能性という意味での崇高を追求した作品とされる。感覚を錯乱させるようなこの建築は、来館者がユダヤ人について特定の統一した意味づけをして完結させることを拒み、迫害や虐殺という出来事が起こったという衝撃の感覚を持ち続けさせる。ポストモダンの崇高論が主に参照するのはカントであるが、崇高の概念のこうした再解釈が可能になったのは、バークが恐怖と曖昧さを強調したことが根底にあるとも言われる。

このように『崇高と美の起源』は、思想や芸術を触発する力を秘めた書物である。これからも幅広い読者に、思索や創作のインスピレーションを与え続けることであろう。

（いおく ようこ／美学研究者）

崇高の概念は決して十全に表象す

バーク（Edmund Burke 1729-97）
家、思想家。アイルランド・ダブリン生まれ。アメリカ
した一方、フランス革命を批判し、その主張をまとめ
命についての省察』によって「保守思想の父」として知
他の著書に『自然社会の擁護』『現代の不満と原因』など。

（おおこうち・しょう）
れ。東北大学大学院文学研究科修士課程修了。東北大学大
究科教授。専門は英国ロマン主義文学、英国18世紀思想史、
論。著書に『美学イデオロギー』、共訳書にポール・ド・マン
抵抗』、ジョージ・スタイナー『むずかしさについて』など。

平凡社ライブラリー 965

崇高と美の起源

日…………2024年4月5日　初版第1刷

者…………エドマンド・バーク
者…………大河内昌
行者…………下中順平
発行所…………株式会社平凡社
〒101-0051　東京都千代田区神田神保町3-29
電話　(03)3230-6573[営業]
ホームページ　https://www.heibonsha.co.jp/

印刷・製本……藤原印刷株式会社
DTP…………平凡社制作
装幀…………中垣信夫

ISBN978-4-582-76965-4